어린이 지식 **e** ⑩ 다양한 가치관

초판 1쇄 인쇄   2015년 4월 10일
초판 1쇄 발행   2015년 4월 17일

지은이 | EBS지식채널ⓔ 제작팀

발행처 | 이비에스미디어(주)
발행인 | 손흥석
기획 | EBS ●● ● MEDiA 장명선 · ‖‖DKJS 성준명
글 | 박수경   **그림** | 서선정   **편집** | 에듀웰

판매처 | 지식채널
대표 | 김경섭
마케팅 | 노경석, 이철주, 이유진

출판등록 | 2008년 11월 13일 (제321-2008-00139호)
주소 | 서울특별시 서초구 사임당로 82 2층 (우편번호 137-879)
문의 전화 | (02)2046-2800   **팩스** | (02)588-0835

ISBN   979-11-86082-11-9 (64300)
ISBN   979-11-86082-05-8 (세트)

생각하는 힘을 키워 주는 감.성.지.식.창.고.

다양한
가치관

어린이 지식

e

10

EBS 지식채널e 제작팀

지식채널

생각하는 지식ⓔ로,
다르게 보고 생각하며 올바른 가치관을 세워요

지혜로운 사람이란 어떤 사람일까요? 어떤 문제든지 답을 알고 있는 사람일까요? 아니면 반대로 문제를 만들어 내는 사람일까요? 세상에는 답이 있는 문제가 많지만 정해진 답이 없는 문제도 많아요. 시대와 상황에 따라서 정답이 달라지는 문제도 있고, 사람에 따라 정답이 달라지는 문제도 있지요.

하지만 확실한 건 우리가 앞으로 살아갈 세상은 정해진 답을 따라가기보다 새로운 답을 찾거나 만들어 가는 세상이라는 거예요. 때문에 우리에게는 '세상을 보는 새로운 눈'이 필요해요. 정해진 답을 많이 아는 것보다 상황에 구속되지 않는 열린 사고로 생각하는 힘을 길러야 해요. 우리가 당연하다고 생각했던 것에 '왜?', '어떻게?'라는 질문을 던질 수 있으니까요. 열린 생각으로 새로운 답을 만날 수 있도록 도와주는 성찰적인 지식이 더욱 필요한 거지요.

〈지식채널ⓔ〉는 5분 분량의 영상을 통해 성찰적 지식을 제공하는 정보 프로그램이에요. 처음에는 성인들을 대상으로 제작되었지만 프로그램에 대한 관심은 나이를 가리지 않고 생겨났어요. 고정 관념에 구속되지 않는 열린 사고력을 길러 주고 싶은 부모들을 통해서, 교사들을 통해서 많은 어린이가 〈지식채널ⓔ〉를 만나고 있지요. 실제로 많은 초등학교에서 〈지식채널ⓔ〉를 수업 자료로 활용하고 있어요. 이를 위한 초등 교사들의 연구 모임이 따로 있을 정도라고 하네요.

하지만 안타까운 점도 있어요. 어린이들의 입장에서는 〈지식채널ⓔ〉를 접할 때 배경 지식이나 정보가 부족한 경우가 많아요. 아무리 좋은 내용이라도 이해하기에 어려움이 있다면 제대로 익힐 수 없겠죠. 때문에 〈지식채널ⓔ〉 제작 팀과 여러 전문가가 머리를 맞댔어요. 어린이들이 〈지식채널ⓔ〉를 쉽게 이해할 수 있도록 하기 위해서 쉬운 글과 관련 정보를 재미있게 보여 주는 〈어린이 지식ⓔ〉가 만들어졌어요. 방송에서 보여 준 내용을 어린이들의 눈높이에 맞춰 흥미롭게 재구성한 책이에요.

〈어린이 지식ⓔ—다양한 가치관〉에는 우리가 어떤 가치관을 가지고 세상을 살아가야 할지 생각해 볼 수 있는 이야기들이 담겨 있어요. '가치를 찾아서, 교육·사회·삶에 대한 다른 생각'이라는 주제에서 볼 수 있듯이 책 속에서는 '어떤 가치관을 가져야 한다, 어떻게 살아야 한다.'라는 정의를 내리지는 않아요. 이런저런 다양한 삶을 소개하면서 생각해 보지 못했던 것들을 다른 시각으로 깊이 생각해 볼 수 있는 기회를 제공할 뿐이지요.

그렇다면 올바른 가치관을 세우는 일은 누가 해야 할까요? 그래요. 바로 여러분이 해야 할 일이에요. 가치관이란 세상을 살아가면서 어떤 일을 결정하고 판단할 때 필요한 믿음과 신념이에요. 올바른 가치관을 세우려면 바람직한 일, 옳고 그른 일, 해야 할 일과 하지 말아야 할 일을 구별하는 분별력이 있어야 해요.

이 책을 읽고, 여러분에게 도전이 되는 것은 마음에 새겨 자신의 가치관으로 삼으세요. 올바른 가치관을 가진 어린이들이 미래에 이 사회를 이끌어 나간다면 멋진 세상이 될 거예요. 그건 바로 여러분의 몫이랍니다.

목차

가치를 찾아서

생각에
몰두하다

01 새로운 생각 · 새로운 조리법, 〈해바라기 식당〉

★ 태양을 따라 이동하며 요리하는 식당

알루미늄으로 만든 태양열 조리기를 가지고,
태양열만으로 자연 재료의 맛과 영양을 살리는 요리사,
태양을 따라 이동하는 새로운 개념의 친환경 식당을 만들어
최고의 요리를 만들어 내는 이야기를 들어 보자.

영업 기간 : 알 수 없음

영업 시간 : 정오~일몰 직전, 전화 예약 필수

메뉴 : 주방장 마음대로

"어제까지 있던 식당이 감쪽같이 사라졌어요."

"이것도 안 된다. 저것도 안 된다.

도대체 뭐가 되나요?"

정해진 메뉴도 없고

짧게는 하루

혹은 한 달 동안

나타났다 사라지는 식당.

도대체 어떤 식당일까?

 태양을 활용해 할 수 있는 일은 무엇이 있을까요?

"어떤 요리가 되나요?"

"모든 게 하늘의 뜻이죠.
운이 좋아야 원하는 요리를
맛볼 수 있습니다."

요리하기 전
한참 동안 하늘만 바라보는
괴짜 요리사
안토 멜라스녜미.

토마토 파스타

샐러드

"토마토가 듬뿍 들어간 파스타를 드세요.
오늘은 햇볕이 쨍쨍하니까요."

"오늘은 샐러드만 드세요.
날이 흐리잖아요."

★
★★
미식가 : 음식에 대하여 특별한
기호를 가지고, 좋은 음식을 찾아
먹는 것을 즐기는 사람

메뉴는
요리사 마음대로지만

음식의 맛은
미식가들도 인정한
최고의 맛.

SOLAR KITCHEN RESTAURANT

최고의 맛을 내기 위한
요리사의 특별한 준비물은
두 가지,
자외선 차단제
선글라스.

요리사는 말한다.
"영양소가 파괴되지 않은
재료 본연의 맛을 느껴 보시겠습니까?"

★★
★ 본연 : 인공을 가하지 않은
본래 그대로의 자연

음식 맛의 비결은
뜨거운 불 맛

그러나
영양소를 파괴하는 불이 아니라
자연 재료의 맛과 영양을 살리는 불,
태양

그 특별한 맛은 바로 태양의 맛이었다.

태양을 따라다니는
'라핀쿨타 태양 주방 식당'

알루미늄으로 만든
태양열 조리기를 사용해서
요리한다.

"매번 먹던 파스타인데 뭔가 새로워요."
"태양이 최고의 양념인 것 같아요."
"해가 질 때 만든 게 더 맛있어요."

태양만 떠 있으면 영하의 날씨에도
요리가 가능한
태양열 조리법

연료도 각 가정에서 사용하는 것보다
30~50% 절약할 수 있다.

"태양은 언제나
우리 머리 위에 떠 있습니다."

환경을 지키고
건강을 생각하는
새로운 조리법으로 요리하는
'라핀쿨타 태양 주방 식당'.

생각을 바꾸어 새롭게 도전하면
맛이 달라지고, 삶이 바뀌고,
세상이 변한다.

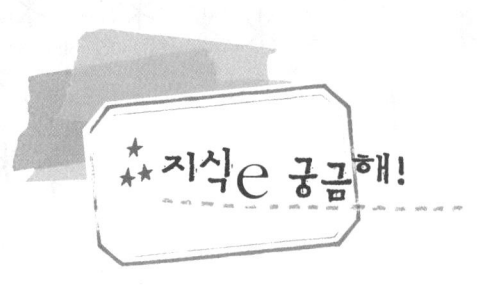

라핀쿨타 태양 주방 식당

라핀쿨타 태양 주방 식당은 핀란드의 맥주 회사인 라핀쿨타에서 문을 연 식당이에요. 이 식당은 해를 따라 장소를 옮기며 문을 열어요. 따라서 흐린 날이나 비가 오는 날은 문을 열지 않아요. 장소도, 메뉴도, 영업 시간도 정해져 있지 않지만 언제나 손님들로 꽉 찬대요. 태양열로 조리를 하기 때문에 가스레인지 불로 조리한 음식보다 맛이 좋고, 식당을 연 지역에서 나는 재료를 사용하기 때문에 신선한 음식을 먹을 수 있으니까요. 요리 전문가인 안토 멜라스네미와 공간 디자이너 마르티 귀세가 꾸민 라핀쿨타 태양 주방 식당은 핀란드 전역을 돌며 운영하고 있어요.

태양열 조리기란 태양열을 이용하여 요리하는 기구예요. 태양의 방향에 따라 태양을 쫓아가며 조리하는 시스템을 갖추고 있어요. 그리고 태양열 조리 기구  는 1ℓ의 물을 약 6분 만에 100℃ 이상으로 펄펄 끓일 수 있을 정도로 열이 세요. 그래서 조리를 하는 동안에는 선글라스를 쓰고, 자외선 차단제도 발라야 한대요.

라핀쿨타 태양 주방 식당의 자연주의

라핀쿨타 태양 주방 식당은 자연주의 삶을 보여 주고 있어요. 자연의 섭리를 따른 자연 그대로의 것이 가장 좋다는 점을 강조하지요. 우리는 여름에는 에어컨을 세게 켜 놓고 춥다며 긴소매 옷을 입고, 겨울에는 난방기를 풀가동하고 덥다며 반소매 옷을 입기도 해요. 이런 생활은 건강에 좋지 않을 뿐만 아니라 에너지도 엄청나게 소비돼요. 에너지를 많이 사용하면 온실가스가 발생하고 이는 환경오염으로 이어지지요.

라핀쿨타 태양 주방 식당은 태양열로 요리를 해 가스 에너지를 사용하지 않을 뿐더러 음식 맛도 더 좋다고 해요. 자연의 소중함과 자연 그대로 살아가는 것이 귀중하다는 것을 요리를 통해 직접 보여 주고 있지요.

태양열의 사용

태양열은 고갈되지 않는 에너지로, 온실가스를 줄이는 친환경적인 에너지라고 할 수 있지요. 태양열 에너지는 태양의 온기를 직접 사용하는 방식인데, 태양의 온기를 집열기에 모았다가 축
열기에 저장해서 물을 데우고 난방을 하는 데 이용하는 거예요. 현재 태양열을 이용해서 가정의 온수 난방용 에너지로 사용하기도 하고, 소형 발전소를 만들기도 해요.

하지만 태양열 에너지 사용은 1980년대부터 시작되었지만 아직까지 많이 보급되지는 못했어요. 그 이유는 시설 비용이 많이 들기 때문이에요. 그렇지만 지속적인 연구 개발로 태양열 시설 기술이 점점 발전하고 있어서 앞으로 많은 사람들이 태양열 에너지를 쉽게 사용할 수 있을 거예요.

만약 미래에 기술이 획기적으로 발전한다면 대형 태양열 발전소를 만들어 전국에 전기를 공급할 수도 있을 거예요. 그러면 사람들은 저렴한 비용으로 전

기를 사용할 수 있고, 화력 발전소나 원자력 발전소를 가동하면서 발생하는 여러 환경 오염을 막을 수 있겠지요? 그리고 비닐하우스나 온실 등에서 태양열 에너지를 사용해 농작물을 재배한다면 풍부한 농산물을 저렴하게 먹을 수 있을 거예요.

02 사물을 다시 보기, 〈토스터를 위하여〉

★ 사물의 소중함을 일깨운 토스터 만들기

우리는 대량 생산되는 물건들을 쉽게 사용하고 함부로 버리지만
작고 간단해 보이는 물건일지라도 그것을 직접 만들기는 쉽지 않다.
'일상의 물건 하나라도 직접 만들 수 있을까?'라는 의문에서 출발해
직접 토스터 만들기에 도전한 이야기를 들어 보자.

영국에 사는 28세 청년

토머스 트웨이츠

2008년,

그는 직접

토스터를 만들기로 결심한다.

그가 만들고 싶은 것은

아주 평범하고

가격도 싼

토스터.

과연 트웨이츠는

직접 토스터를 만들 수 있을까?

 토스터를 직접 만들려면 무엇이 필요할까요?

먼저 토스터를 분해한 트웨이츠는
404개의 부품들과 마주한다.

'이렇게 많은 재료가 들어간 제품이
왜 치즈 한 덩어리 값밖에 안 되지?'

★
★★
토스터의 가격 : 전기 토스터는
우리나라에서는 대개 5만원
이하에 판매되고 있음.

많은 부품 가운데에서 골라낸
5가지 핵심 재료는
강철, 운모, 플라스틱, 구리, 니켈.

토스터의 재료들을 찾기 위한
그의 여행이 시작된다.

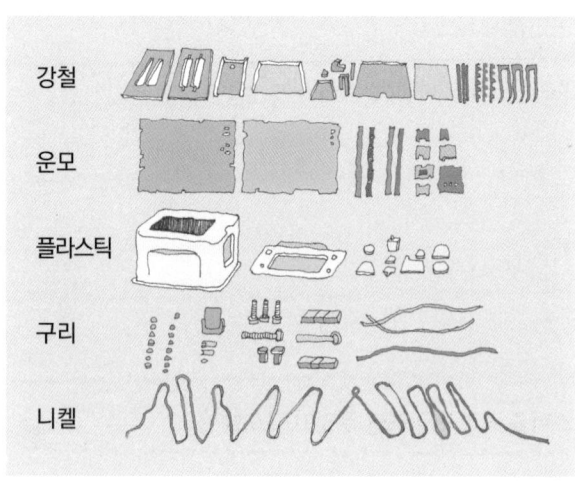

강철

운모

플라스틱

구리

니켈

첫 번째, 강철 구하기

토스터의 뼈대인 강철을 찾아
아일랜드의 광산으로 떠난 여행

그곳에서
전시용 철광석 40kg을 겨우 구한다.

그리고
철광석에서 철을 분리하기 위해
어려운 과정을 여러 번 거쳐야 했다.

★
★★ 철광석 : 철을 함유하고 있어서
철을 뽑아내는 원료로 쓰이는 광석

23

두 번째, 운모 구하기

열을 차단하는 광물인
운모가 나는
스코틀랜드의 광산으로 떠난 여행

그곳에 도착해
한나절을 헤맨 후에야
가까스로 운모를 찾아낸다.

세 번째, 플라스틱 구하기

'플라스틱 케이스야말로
토스터를 토스터답게 만든다.'

하지만 플라스틱의 원료인 석유를
직접 가져오려 했으나
석유 회사로부터 거절당한다.

하는 수 없이 인터넷 검색으로 찾아낸
녹말 플라스틱 제조법을
여러 차례 시도해 보지만
보기 좋게 실패한다.

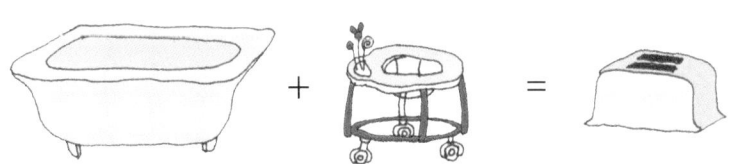

결국 버려진 보행기와 욕조를 이용해
토스터 몸체를 만든다.

네 번째, 구리 구하기

구리를 얻기 위해
광산 폐기물 처리장으로 향한 여행

구리 100g을 얻기 위해 산성수를
숟가락으로 1만 1210번 떠내야 했다. ★
★★

산성수 : 산성을 띠는 물.
여기에서는 광산에서 구리를
제련하기 위해 사용한 물

다섯 번째, 니켈 구하기

니켈은 어디에서도 구할 수 없었다.
할 수 없이 니켈 함유량 99.9%의
캐나다 기념 주화로 해결한다.

토스터를 만들기 위해 구한

5가지 핵심 재료로

드디어 토스터를 완성한다.

제작 기간 : 9개월

소모 비용 : 1187.54파운드(우리나라 돈 200만 원 정도)

이동 거리 : 약 3000km(서울에서 부산까지 거리의 약 7배)

★
★★　파운드 : 영국의 화폐 단위

사람들은 물었다.

"도대체 이런 걸 왜 만든 건가요?"

트웨이츠가 토스터를 만든 이유는

어릴 적 즐겨 읽던

소설의 한 문장 때문.

어떤 도움도 없이 홀로 내버려 두면

그는 토스트조차 만들 수 없었다.

겨우 샌드위치 정도나 만들 수 있을까?

_《은하수를 여행하는 히치하이커를 위한 안내서 5 : 대체로 무해함》 중에서

이미 오래전부터 우리는 필요한 물건을
스스로 만들지 못하게 됐잖아요.
그 사실을 너무나 당연하게
받아들이고 있고요.
우리가 일상적으로 접하는 물건의
이면에는 뭐가 있는지 알고 싶었어요.

_(토머스 트웨이츠)

★
★★ 이면 : 겉으로 나타나거나
눈에 보이지 않는 부분

2009년
네덜란드의 어느 갤러리

기대에 찬 관중들 앞에서
토스터의 전원이 켜졌다.

10초 후
토스터는 폭발해 버렸다.
하지만 관중들은
우레와 같은 박수갈채를 보냈다.

비록 실패했지만
물건을 스스로 만드는 기쁨과
사람들의 기계에 대한 의존성
그리고 사물의 소중함을 일깨운
토스터 만들기.

의존성 : 다른 것에 의지하여
생활하거나 존재하는 성질

우리는 일상의 물건들 중
하나라도 만들어 낼 수 있을까?

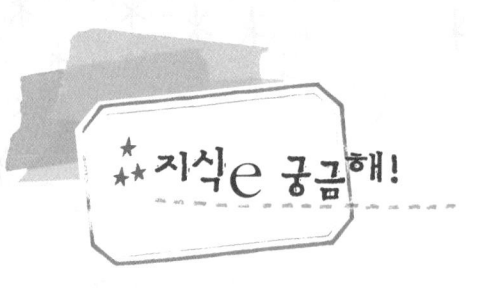
토스터를 직접 만든 트웨이츠

영국왕립예술학교 석사 과정을 공부하던 젊은 디자
이너 토머스 트웨이츠는 졸업 작품 전시회에 자신
이 직접 제작한 토스터를 내놓기로 했어요. 그런데
그는 출품할 토스터의 모양을 디자인한 것이 아니
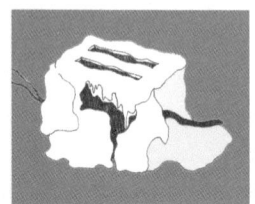
라 직접 재료를 구해 조립해서 만들었어요. 쉽지 않은 일이었지만 그는 사람
들이 물건을 너무 쉽게 구입하고, 그것들에 의존해서 살아가는 현실을 조명해
보고 싶었어요. 물건을 직접 만드는 어려운 과정을 통해 인류가 잃은 것과 얻
은 것을 생각해 보자는 뜻이지요. 사람들은 물건을 쉽게 구할 수 있게 되면서
'편리'와 '빠름'을 얻었지만 스스로 할 수 있는 것이 줄어들었고, 스스로 만들어
내는 기쁨을 잃었으며, 여유도 잃었다는 것을 알리고 싶었던 거예요. 뿐만 아
니라 물건을 쉽게 버리는 현대인의 생활 습관도 지적하고 있어요.

트웨이츠의 토스터 만들기

트웨이츠는 토스터를 만들기로 했을 때 원칙을 세웠어요. 가게에서 팔고 있는
토스터처럼 빵의 양면을 구울 수 있어야 하고, 빵이 구워지면 튀어나와야 한
다는 거예요. 또 모든 부품을 스스로 구해야 하고, 가내 수공업으로 만든다는
것이었어요. 하지만 토스터를 분해한 순간 너무 많은 부품이 필요하다는 사실
을 알았고, 심지어 부품들을 스스로 만들어서 가내 수공업으로 토스트를 만들
기는 거의 불가능하다는 것도 알게 되었어요. 하지만 그는 포기하지 않고 9개

월 동안 3000km 넘게 발로 뛰어 결국 토스터를 만들어 냈어요. 그가 만든 토스터는 토스트를 굽고 싶은 마음이 들지 않을 정도로 못생겼고, 게다가 전시회에서 전기를 연결하는 순간, 너무 과열되어 빵을 굽는 게 아니라 스스로 토스트가 되고 말았어요. 결과만으로 볼 때, 트웨이츠의 프로젝트는 실패했다고 할지도 몰라요. 하지만 그는 이 프로젝트를 통해 사람들에게 말하고 싶었던 것, 알리고 싶었던 것을 모두 이루었어요. 현재 트웨이츠는 세계를 누비며 토스트 프로젝트에 관한 강연을 하고 있어요.

자급자족하며 함께 사는 마을

영국의 토드모든이라는 작은 마을에서는 '경이로운 먹거리 프로젝트'를 벌이고 있어요. 이 프로젝트는 먹을거리를 직접 심고 가꾸어 먹자는 운동으로, 2018년까지 이 마을 주민이 모든 먹을거리를 자급자족하는 것을 목표로 하고 있어요. 이 프로젝트는 마을 사람들이 스스로 만들어서 실행해 가고 있어요. 그리하여 주민들은 마을 구석구석 조그만 땅일지라도 과일, 채소, 허브 등을 심어 수확하는 것은 물론, 달걀이나 빵, 고기, 유가공품까지 직접 기르고 만들어서 나눠 먹을 정도예요. 학교에서도 학생들이 직접 작물을 가꿀 수 있도록 지도하지요. 길거리에서 자라는 농작물이나 허브 등은 누구든 마음껏 수확할 수 있대요.

이렇게 도시나 마을 전체를 텃밭처럼 가꾼 자급자족 마을도 있지만, 아주 오래전부터 그들만의 방식으로 자급자족하고 있는 곳도 있어요. 베트남에서 가장 추운 산악 마을인 사파에서는 부족민들이 산을 타고 흐르듯 만들어진 계단식 다랑논을 삶의 터전으로 살고 있어요. 먹을거리를 모두 직접 재배해서 먹고 살며, 이곳 여인들은 직접 만든 천으로 옷을 지어 입어요. 지금은 관광객들에게 물건을 팔며 사는 사람들도 있지만 대부분의 주민들은 자급자족하는 생활을 하고 있답니다.

03 좋아하는 일을 선택하라, 〈행복한 오타쿠〉

★ 좋아하는 것을 마음껏 해 보기

한국인 이종호와 박현복은 애니메이션 〈에반게리온〉 제작사에서
실시하는 이벤트에 참여하고자 여행을 떠난다.
이벤트는 4개국의 〈에반게리온〉 행사장을 돌며 도장 받아 오기.
단지 좋아한다는 이유만으로 떠난 여행, 그 결과는 어땠을지 알아보자.

오타쿠 : 한 분야에 열중해 그것에
몰두하고 연구하는 사람을 뜻하는 일본어

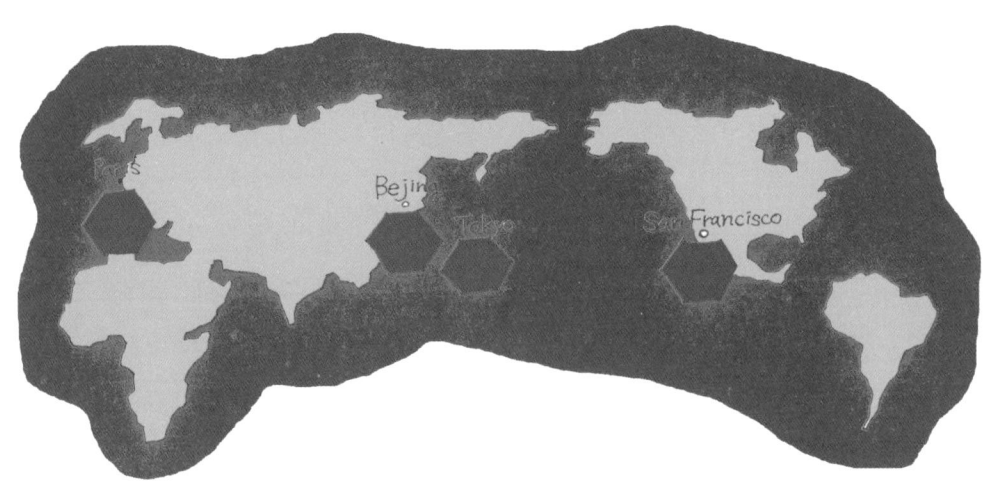

2012년 6월 22일

일본의 인기 애니메이션

홈페이지에 올라온 공지 사항

"사상 최대로 긴 거리의

〈에반게리온〉 지구 일주 스탬프 랠리.

4개국의 〈에반게리온〉 행사장을 다니며

도장 4개를 모은 사람에게

선물을 드립니다."

〈에반게리온〉 : 거대 로봇을
다룬 일본 애니메이션

랠리 : 계속 이어지는 일

프랑스, 미국, 중국, 일본을

모두 거쳐야만 받을 수 있는 선물은

밝혀지지도 않은 상황.

과연 이 행사에

참가하는 사람이 있을까?

 내가 좋아하는 애니메이션은 무엇인가요?

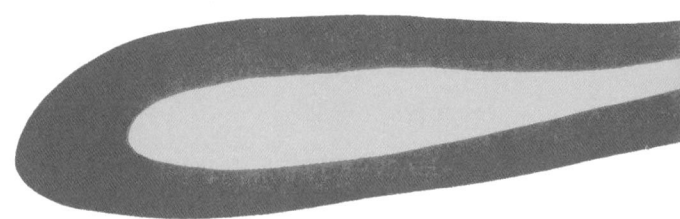

"누가 이걸 하겠어?"

"그러게, 바보도 아니고."

"그런데…… 네가 안 하면 누가 해?"

"그러는 너는?"

보통 사람이라면 하지 않을

고민에 빠진 한국의 두 남자

얼마 후

2012년 7월 7일

그들은 파리행 비행기에 타고 있었다.

"좋아하는 것이 많았어요.
하지만 좋아하는 것들을
점점 잃어 가는 저를 발견했어요.
잃어버림, 상실에 대해
반항을 하고 싶었어요."

★★★ 상실 : 어떤 것이 아주
없어지거나 사라짐.

"이번만큼은 후회 없이
제대로 한번 좋아해 보자!"

35

생애 첫 유럽 여행을 하루 만에 마치고
자신들이 좋아하는
애니메이션 행사장에서
첫 번째 도장을 받은 두 사람

말할 수 없는 기쁨에
환호성을 지른다.

시간이 많지 않아 주말을 이용하고
돈이 많지 않아 노트북과 귀중품을 팔아 가며
두 번째 도장을 받기 위해 떠난다,

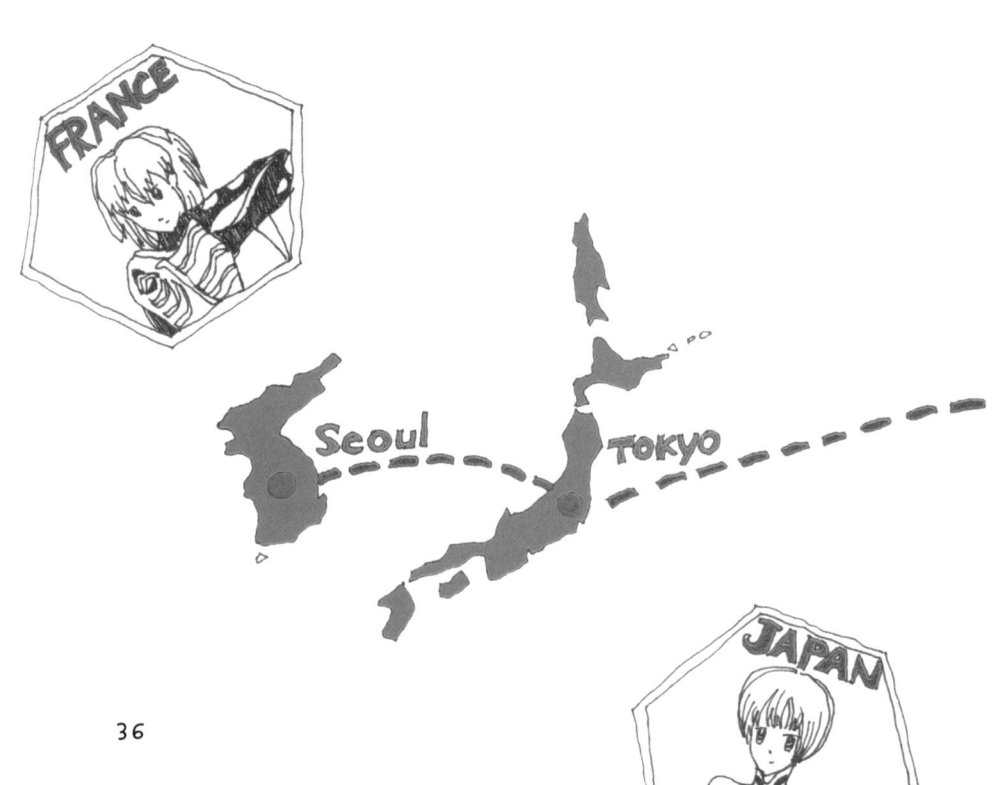

8월 8일

일본 도쿄

8월 24일

미국 샌프란시스코

얇아지는 지갑

쌓이는 피로

항공기의 결항을 견디며

★
★★
결항 : 정기적으로 다니는 배나
비행기가 운항을 거르는 것

도장 하나만을 남겨 둔 두 사람.

그러나

중국과 일본의 외교 관계가

갑자기 나빠져

무기한 연기된 중국에서의 행사

한 달을 기다려서야

두 사람은 베이징에 갈 수 있게 되었다.

열정 : 어떤 일에 열렬한
애정을 가지고 열중하는 마음

하지만

'이깟 도장이 뭐라고…….'

처음에 품었던 열정이 식어 갔다.

그러나

중국에서 마지막 도장을 찍는 순간

'역시 오길 잘했어!'

빈칸 없이 채워진 도장

4개국을 모두 완주한 사람은

전 세계 팬들 가운데

이종호

박현복

한국인 2명뿐이었다.

완주 : 목표한 지점까지 다 달림.

좋아하는 것을
마음껏 했던 여행이 끝났다.

"〈에반게리온〉 덕분이야.
아니었으면 이런 곳에 못 오지.
올 생각도 못했겠지. 사느라 바빠서……
재미있었어."

그러나 그것이 끝이 아니었다.

"또 재미있는 것을 찾아야지."

그들은 한국에 돌아온 뒤

자신들의 여정을 다큐멘터리 영화로

만들어 상영했고

★
★★ 여정 : 여행의 과정이나 일정

악보도 볼 줄 몰랐지만

열심히 공부해서 OST 음반까지 만들었다.

★
★★ OST 음반 : 원작 영화의 주제
음악이나 배경 음악을 담은 음반

애니메이션 제작사는

그들에게

4개국 중 한 곳의 항공권 · 숙박권과

원작자가 그린 캐릭터 그림 중에

1가지를 선택할 기회를 주었다.

원작자 : 그림이나 글을
처음에 그리거나 지은 사람

그들은 무엇을 선택했을까?

두 사람은 아무 고민 없이

원작자가 그린 그림을 선택했다.

좋아하는 것이므로.

우리는 좋아하는 일을
얼마나 하면서 살 수 있을까?

좋아하는 일이 나중에
직업이 된다면
더없이 좋을 것이다.

그렇지 않더라도
다른 일을 하는 가운데에서도
종종 좋아하는 일에 빠져

자신만의 기쁨과
자신만의 행복을 찾는다면
삶의 큰 활력이 될 것이다.

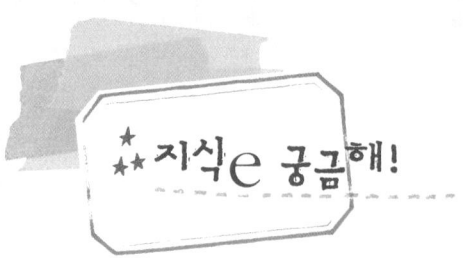

두 남자의 여행 이야기

2012년 일본의 애니메이션 〈에반게리온〉의 공식 홈페이지에 프랑스, 미국, 일본, 중국 등 4개국의 행사장을 찾아 스탬프를 찍어 오면 상품을 준다는 공지가 떴어요. 이에 한국인 이종호와 박현복이 여행을 시작했지요. 주변 사람들은 "나잇값도 못하고 일본 만화 영화에 빠져서…… 쯧쯧!" 하며 한심해 했어요. 하지만 프로그래머였던 이종호와 애니메이션 일을 하다 잠시 쉬고 있던 박현복에게 이 여행은 큰 의미가 있었어요. 둘 다 〈에반게리온〉을 무척 좋아했기 때문이에요. 그리고 나이 서른에 인생에 대해 진지하게 생각하며 새로운 방향을 찾고 있었기 때문이지요. 이종호는 말했어요. "서른이 되었을 때 마음이 묘했어요. 미래에도 계속 똑같은 일상이 펼쳐질 것만 같은 생각이 들어 불안했어요." 박현복의 생각도 비슷했지요. "서른이 되었는데 아무것도 못 이룬 것 같았어요. 어느 한 가지에 몰두하는 오타쿠가 나쁜 것도 아닌데…… 이제라도 좋아하는 것을 해 보자고 생각했지요."

두 사람은 이 여행을 그저 소비적인 여행으로 끝내기보다 뭔가 남기고 싶었어요. 중고 핸디캠(손으로 들고 찍을 수 있는 촬영기)을 구해서 모든 여정을 촬영해 다큐멘터리 영화로 만들고, OST 음반도 냈어요. 그들은 여행을 하고, 다큐멘터리 영화와 음악을 만든 일을 인생에서 가장 잘한 일이라고 생각한대요.

여행을 다녀온 박현복은 말했어요. "사람은 모두 무언가에 오타쿠예요. 다만 무언가를 좋아하는 마음이 있어도 처한 상황이나 나이 때문에 포기하고 살 뿐이지요." 그리고 〈에반게리온〉에는 이런 대사가 있대요. "세상에는 아직도 우리가 모르는 즐거움이 너무 많다."

좋아하는 것에 몰두하는 오타쿠

오타쿠는 한 가지에 빠져 몰두해서 열중하는 사람을 이르는 일본 말이에요. 일본에서 이 말이 처음 등장한 것은 만화, 애니메이션, 게임 등을 좋아하는 사람들끼리 서로를 존중하는 의미로 부르면서부터예요. 그때만 해도 일반인들 사이에서는 좋은 뜻으로 이해되지는 않았어요. 오히려 주변 사람들과 소통하지 못하고, 평범한 생활과는 동떨어져 자신만의 세계에 빠진 이상한 사람으로 생각되었지요. 하지만 그들이 좋아하는 것들이 세계적인 관심을 받으면서 오타쿠를 인정하는 분위기가 생겨났어요. 한 분야를 깊이 알고, 그와 관련된 문화를 만들어 내는 사람들이라는 긍정적인 의미를 갖게 된 거지요.

일본에서는 오타쿠들이 음악, 게임, 애니메이션 등 좋아하는 것과 관련된 제품을 사거나 비용을 들여 코스프레를 하는 것 때문에 경제적으로도 소비자로서 큰 영향력을 갖고 있어요. 하지만 아직도 주변과 자연스럽게 소통하지 않는 오타쿠들을 부정적으로 보는 사람들이 있답니다.

세계 최초 개인 인공위성을 쏘아 올린 송호준

2013년 4월 19일, 세계 최초로 개인 인공위성을 발사한 송호준. 그가 발사한 인공위성의 이름은 오픈 소스 인공위성(OSSI), 모든 사람에게 그 인공위성의 제작 방법을 공개한다는 의미예요. 그는 인공위성을 제작하는 데 5년을 투자했어요. 그런데 제작 기간의 절반은 제작 비용을 마련하는 데 썼어요. 순수 인공위성 제작비는 40만 원 정도 들었지만, 인공위성을 발사하는 로켓을 빌리는 데 1억 2000만 원이나 들었어요. 그 밖에도 상당히 많은 돈이 필요했다고 해요. 하지만 송호준은 하고 싶은 일을 하는 삶에 무척 행복해 했어요. 돈을 벌지 못하는데도 내내 즐거워했고, 비용을 마련하기 위해 일을 할 때에도 무척 좋아했다고 해요. 남들이 '왜 저런 일을 할까?'라고 하는데도 자신이 좋아하는 일이므로 신나게 할 수 있었던 거지요.

04 내가 직접 짓는 〈우리 집〉

★ 마음에 드는 집을 스스로 짓는 행복

내 손으로 직접 집을 짓는다면 얼마나 근사할까?
어떤 사람들은 마음에 드는 곳에 직접 설계한 집을
스스로 짓고 사는 것에 행복과 삶의 여유를 느낀다.
그들을 통해 나만의 집을 짓는 이유와 방법을 알아보자.

우리 집은 통나무집?
아니면 흙집?

세상에는
많은 사람들이 자신이 살 집을
직접
스스로 지어서 살고 있다.

혹시,
직접 집을 짓는다면
어떤 집을 짓고 싶은가?

산속에 통나무집?
낮은 언덕에 흙집?
아니면…….

그런데 어떻게 하면
직접 집을 지을 수 있을까?

 내가 나중에 짓고 싶은 집을 그려 볼까요?

첫째, 생각이 중요하다!

'작은 집 짓기' 방법을 소개하는
미국의 건축가
밥 이스튼은 말한다.

"처음에는 작고 단순하게
시작하는 게 좋아요."

밥 이스튼 : 미국 캘리포니아 주
산타바바라의 건축가

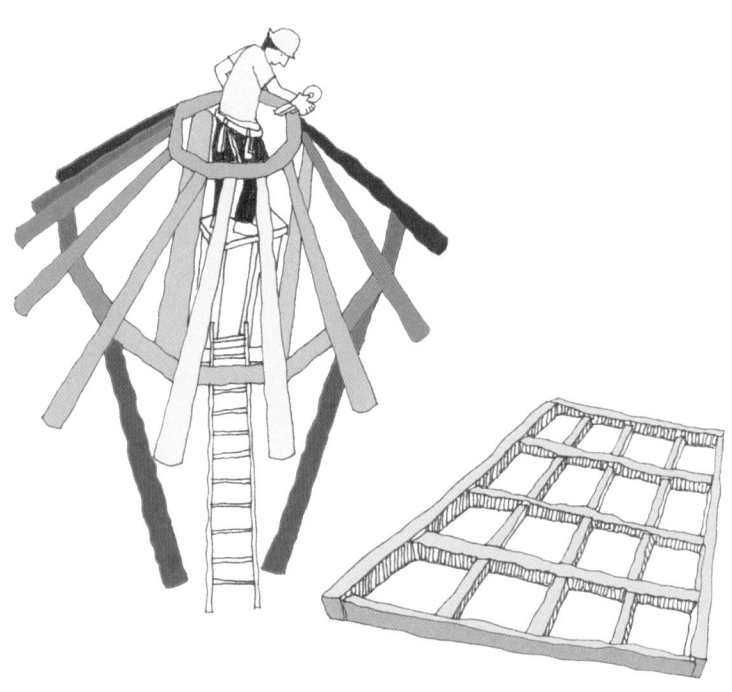

집을 짓는 일에는
자재 고르기, 공간의 크기 정하기,
설계하기 등의 일이 필요하다.

집을 짓는 것은 사실 여간 복잡한 일이 아니에요.
그래서 '그림'이 필요하죠.
저는 뭐…… 이런저런 그림을 몇 장 그려 보고는
곧장 시작했어요.

그러나
"너무 복잡하게 생각하지 마세요.
1000달러로 장만한 작은 땅에
'그냥 한번 지어 볼까?'라고
생각하는 것만으로도
시작할 수 있어요."

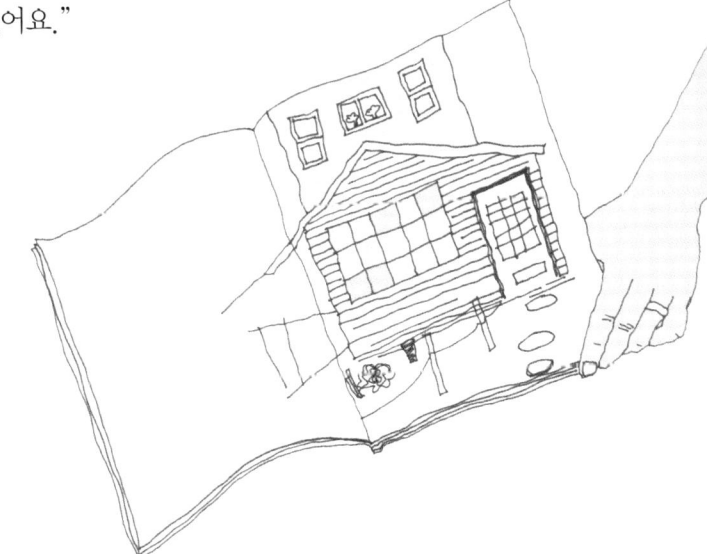

둘째, 만들면 된다!

나무, 볏짚, 흙, 대나무 등으로
천천히 조금씩
만들어 가는 사람들도 있다.

우리는 거의 2년이 걸렸어요.
여가 시간은 세 아이와 함께
전부 집 짓기를 하면서 보냈어요.
그런데 집을 지으면서 이런 생각이 들더군요.
'나는 지금 무언가 다른
아주 오래가는 어떤 것을 갖게 된 거구나.'

목수이자 작가인 로이드 칸은
스스로 지은 특이한 집들을 소개한다.

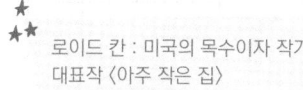
로이드 칸 : 미국의 목수이자 작가.
대표작 〈아주 작은 집〉

커다란 나무로 지은
통나무집

오래된 나무 위에 지은
오두막집

산기슭에 볏짚과 흙으로 지은
흙집

여러 재활용품을 활용해서 지은
집

스스로 짓는 집은
마음에 드는 재료를 골라
자신이 원하는 대로 지어 나가면 된다.

셋째, 친환경적으로!

진공청소기
컴퓨터
비디오를 작동시키는 전기는

물과 바람을 이용하는
수력 발전기와
햇빛을 이용하는
태양열 집열판을 활용해 만든다.

집열판 : 태양열 등을 흡수하여 저장하는
투명한 유리나 플라스틱 판

직접 집을 지으면
친환경적인 자체 동력으로
24시간 전기를 공급하는 것도
내 생각대로 할 수 있다.

동력 : 전기 또는 자연에 있는 에너지를
쓰기 위해 기계적인 에너지로 바꾼 것

전기는 꼭 필요하죠.

커피를 마시고, 라디오를 듣고,

일주일에 한 번씩 청소기를 돌리는 것은

중요한 일이니까요.

이렇게 해서 전 벌써 두 채를 지었답니다.

손수 만든 집을 소개하는 말,

"여기는 우리 집 수영장이에요.

샘에서 나온 물을

태양열로 데워서 만들었어요.

괜찮아 보이지 않나요?"

넷째, 너무 잘하려 하지 말고
천천히, 시간을 들여서 하라.

처음에 우리는 정말 아무것도 몰랐죠.
저녁마다 우리는 도서관에서
건축 책을 봐야 했어요.
하지만 그 시간은
우리 인생에 아주 좋은 영향을 주었죠.

주변을 관찰하고, 책을 찾아보고
생각한 것을 행동에 옮겨
집 짓기에
충분한 시간을 들이면
누구든지 스스로 집을 지을 수 있다.

"12년 동안 우리 집은
조금씩
조금씩 나아졌죠.
그러는 동안
우리의 기술,
우리의 생각도 이 집과 함께
발전해 가는 걸 느꼈어요."

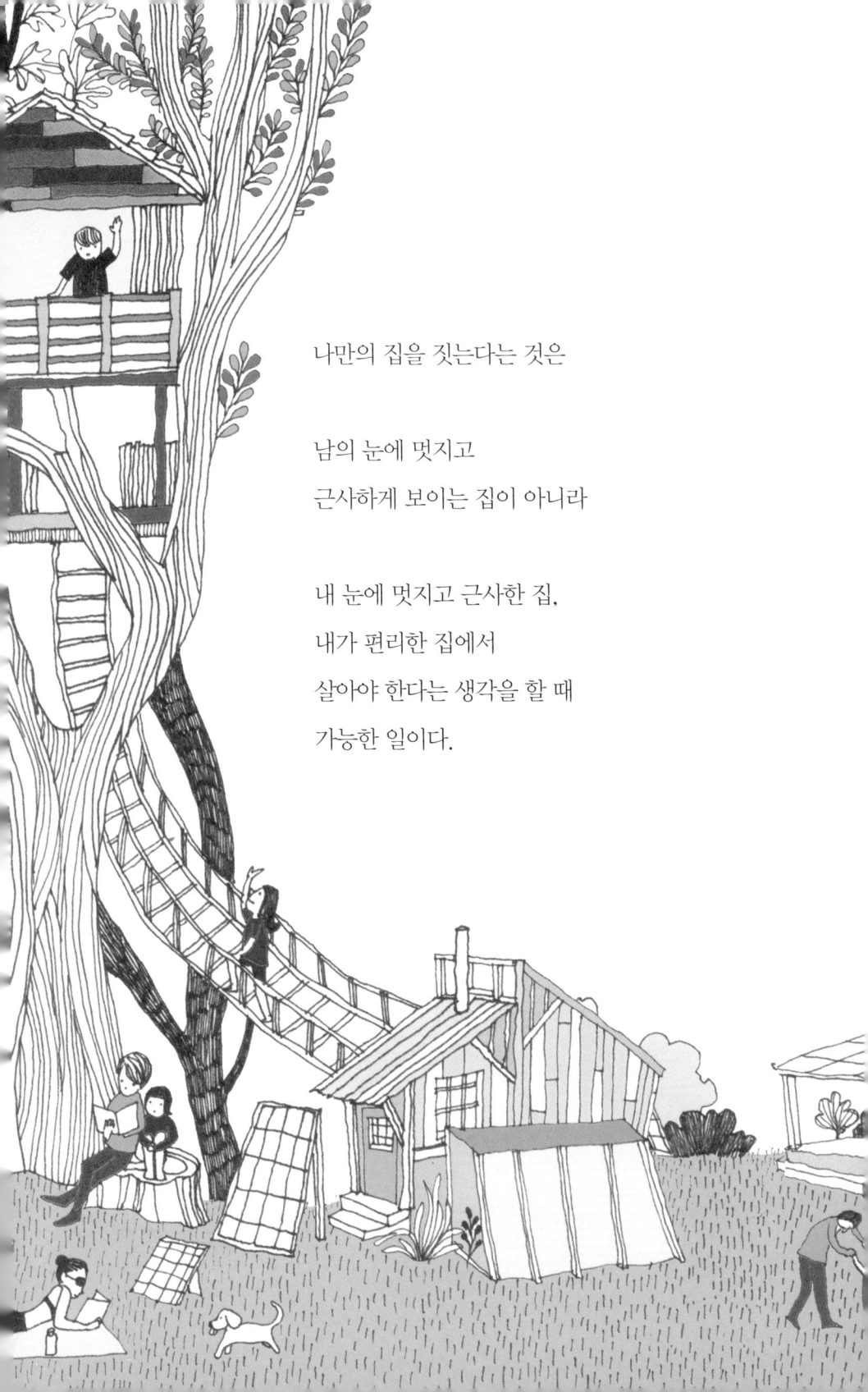

나만의 집을 짓는다는 것은

남의 눈에 멋지고
근사하게 보이는 집이 아니라

내 눈에 멋지고 근사한 집,
내가 편리한 집에서
살아야 한다는 생각을 할 때
가능한 일이다.

남이 지어 놓은
똑같은 집이 아닌

내가 생각한 대로
나만의 집을 지어

나만의 삶을
살아가려고 하는
사람들이 늘고 있다.

이제 집에 대한
다른 생각을 해야 할 때이다.

57

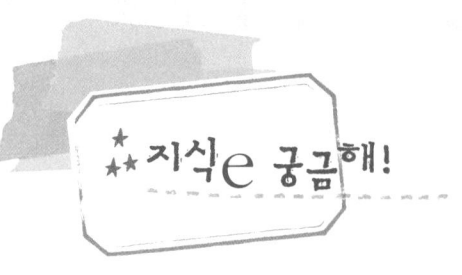
집에 대한 생각이 바뀌고 있다

요즘 사람들은 남에게 피해가 되지 않는 한 자신의 개성대로 살고 싶어 해요. 그러다 보니 집도 직접 디자인해서 독특하게 짓는 사람들이 늘고 있어요. 사실 아주 옛날에는 음식, 옷, 가구 등 생활에 필요한 대부분의 것들을 개인이 직접 만들어 사용했어요. 개인이 직접 만든 것은 대량 생산된 것과 달리 개성이 묻어나고 하나밖에 없는 자신만의 것이라는 기쁨을 주어요.

집도 마찬가지예요. 그래서 자신만의 집을 갖고자 많은 사람이 직접 설계를 하고, 재료를 하나하나 사고, 직접 땅을 골라 집을 짓지요. 비슷하게 지어진 아파트나 주택을 보고 '왜 우리는 모두 똑같은 모습으로 살아야 하지?'라는 생각을 했던 사람들이 스스로 집을 짓기 시작한 거예요. 이들은 자신이 살고 싶은 곳을 골라 자신이 원하는 재료로, 마음에 맞는 크기와 구조로 지어요. 원숭

이를 좋아해서 정글에 집을 짓는 사람, 산이 좋아서 산에 집을 짓는 사람, 도시의 한 귀퉁이에 나무로 집을 짓는 사람, 집과 집 사이에 아주 작은 집을 짓는 사람, 바닷가 배 위에 집을 짓는 사람 등 아주 다양해요.

로이드 칸

로이드 칸은 집을 짓는 목수이자 작가이며 건축에 대한 책을 만드는 출판인이에요. 그는 어려서 이웃집 아저씨가 목수 일을 하는 모습을 보고 반해 건축 일을 시작했어요. 그는 작은 차고를 스튜디오로 직접 만들면서 집 짓는 일에 더

욱 흥미를 갖기 시작했지요. 그리고 자신의 손으로 집을 짓고 행복해 하는 사람들과 독특하게 지은 건축물들을 31년 동안 직접 찾아다니며 소개하는 일도 했어요. 그가 쓴 〈셸터〉, 〈행복한 집 구경〉, 〈아주 작은 집〉과 같은 책은 세계적으로 매우 유명한 베스트셀러예요. 그의 책을 보고 집 짓기를 시작한 사람들이 아주 많대요. 특히 그의 책 중 〈아주 작은 집〉은 크고 멋진 집이 좋다는 사람들의 생각을 깨고 작고, 기능적이고, 자신에게 딱 알맞은 집을 스스로 짓는 유행을 일으켰어요. 지금도 전 세계적으로 로이드 칸의 생각처럼 살고 싶은, 작은 집을 직접 짓는 사람들이 계속 늘어나고 있답니다.

특이한 집들

우리나라에서 유행한 땅콩집은 집 한 채를 지을 공간에 두 채를 연결해 지어 마당을 함께 쓸 수 있도록 지은 집이에요. 두 집이 붙어 있는 모양이 땅콩 같다고 해서 땅콩집이라고 해요. 조금 비좁지만 공간 활용을 잘할 수 있도록 지어져 불편함이 없다고 해요. 땅이 부족하고 인구가 많은 우리나라나 일본 같은 나라에서 많이 활용되는 집이에요.

스웨덴의 스톡홀름에는 집과 집 사이에 지은 특이한 집이 있어요. 그 집은 남들이 주차장으로 사용할 만한 좁은 공간에 2층으로 지어 올렸어요. 집은 생활하는 데 문제가 없을 정도의 작은 공간이면 적당하다고 생각한 사람이 아이디어를 내어 그런 독특한 집을 짓게 된 거예요.

여행을 좋아하는 사람들은 컨테이너로 집을 짓기도 해요. 컨테이너 안에서 모든 생활이 가능하도록 침대, 화장실, 부엌 등 여러 시설을 갖추어 짓지요. 이 컨테이너 집은 차외 연결하면 언제든지 여행을 떠날 수 있어요.

그 밖에도 짚으로 만든 집, 폐품을 활용해서 만든 집, 병으로 만든 집, 케이블카로 강을 건너야만 하는 집 등 세계 곳곳에 독특한 집들이 생겨나고 있답니다.

05 여행자들을 안내하는 〈그곳을 다녀간 사람들〉

★ 여행은 새로운 나를 찾아가는 탐험

여행을 할 때 우리는 되도록 여러 곳을 돌아보려고 한다.
어쩌다 하는 여행인 만큼 한 곳이라도 더 봐야 한다는 생각에서이다.
하지만 남들이 좋다는 곳을 돌아다니기에 급급한 여행은 좋지 않다.
새로운 나를 찾고 즐길 수 있는 여행에 대해 생각해 보자.

물과 낭만의 도시
이탈리아 베네치아의
흔들리는 배

이탈리아 산마르코 광장의
유서 깊은 건물들

산마르코 광장 : 이탈리아
베네토 주 베네치아에 있는 광장

죄를 씻어 내 준다는
인도 갠지스 강

낯선 장소
낯선 공기
낯선 사람들

익숙한 건 오직 자기 자신뿐인
여행.

 가장 기억에 남은 여행은 어디에 갔던 여행이었나요?

그곳을 다녀간 사람들은
여행객들에게 말한다.

'무엇을 봐야 한다.'
'무엇을 먹어야 한다.'
'무엇을 남겨야 한다.'

하지만
먼저 여행했던 사람의
'……해야 한다.'라는 조언을
생각해서는 안 된다.

조언 : 말로 거들거나 깨우쳐
주어서 도와주는 말

그런데
"어떻게 온 여행인데!"
"또 언제 오겠어?"

결국 꽉 짜인 계획 속에서
세상에 알려진 유명한 장소를 찾아
행진하고 또 행진한다.

그러다가
아름답기만 했던 골목 사이에서
길을 잃거나

너무 많은 사람 속에서
하루 종일 줄을 서거나

함께 간 가족끼리
의견 다툼이 생기거나

색달랐던 음식이 입에 맞지 않을 때
우리는 생각하게 된다.

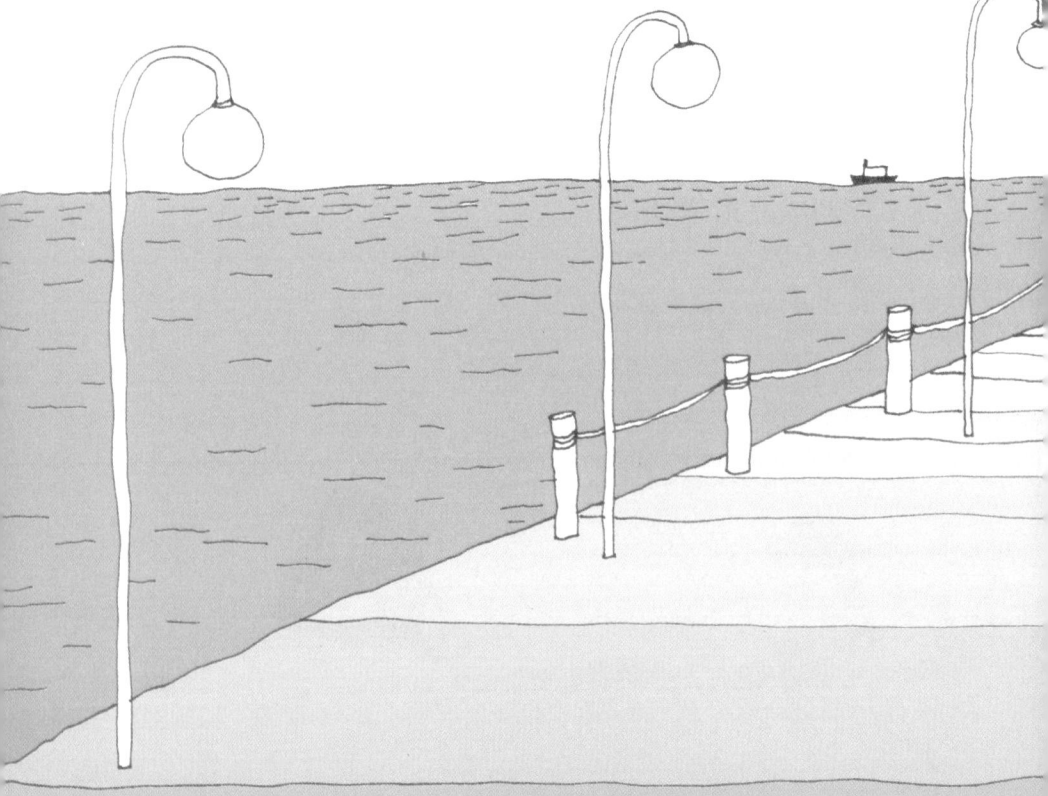

'여행을 꼭 해야 하나?

무엇을 얻고자 이렇게 고생하고 있지?'

그 순간

여행의 흥분은 갑자기 사라지고

낮선 장소에서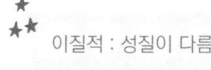

이질적으로 서 있는   이질적 : 성질이 다름.

나를 발견하게 된다.

그러나 다시 생각한다.

'당황하지 말자.
포기하지 말자.
여행을 통해 우리가 만나는 건
새로운 경험뿐 아니라
새로운 나
새로운 가족
그리고 하나가 되는 우리.'

그 순간부터 다시 시작되는
진짜 여행.

기차의 덜컹거림
볼을 스치는 차가운 기온
강가에서 타던 향내
그리고
거리 악사의 연주곡

남김없이 가슴속으로 들어와
사진으로는 남길 수 없는
'기억'이 된다.

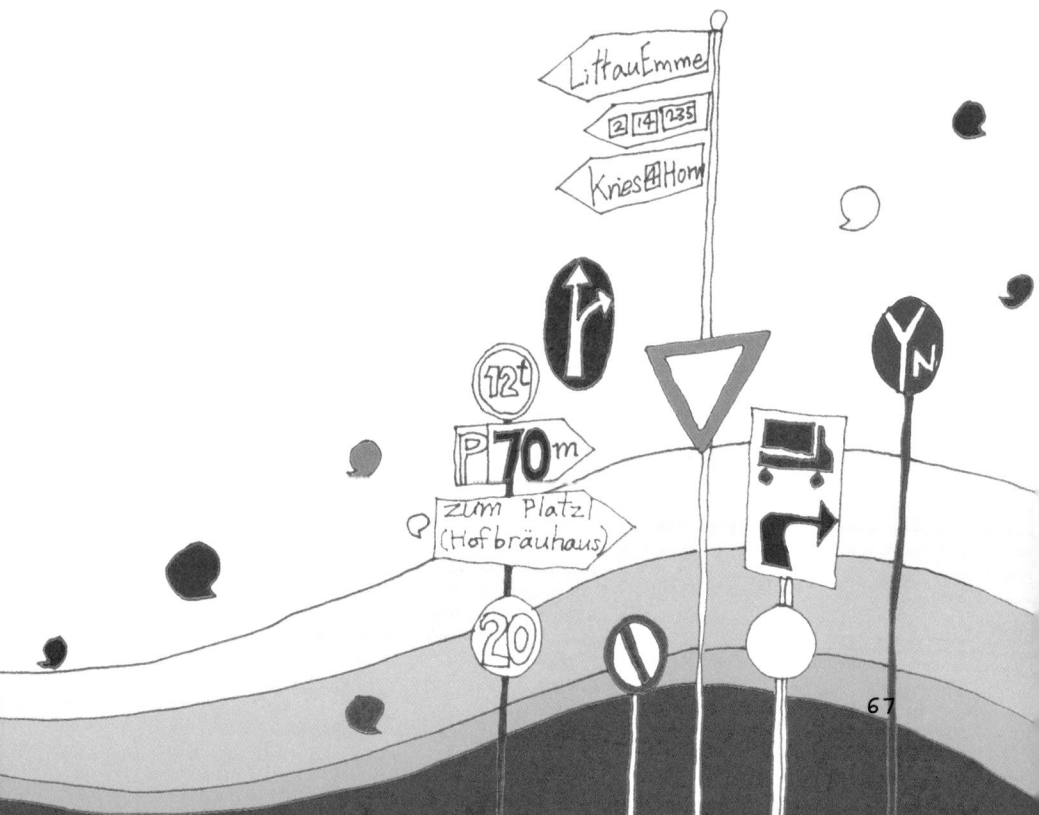

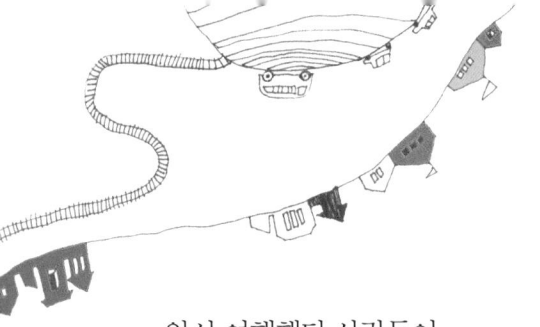

앞서 여행했던 사람들이
꼭 봐야 한다는 것을 보지 않아도

거리를 걷고
냄새를 맡고
사람들을 보고

평소와 다른 하늘을 보는 것이
즐거운 나는
그냥 낯선 곳을 탐험하는
한 사람의 즐거운 여행객이다.

이것이 여행이다.

이렇게
여행의 경험은
추억으로 쌓여

이제 내일의
나는,
어제의
내가 아닐 것이다.

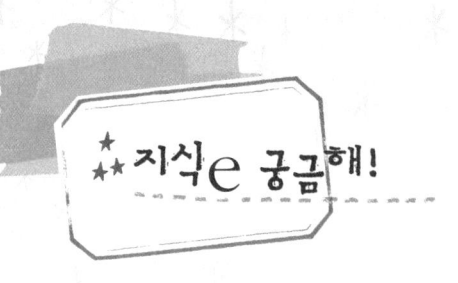

마음과 추억이 자라는 여행

세상에는 다양한 문화와 자연, 사람들이 있어요. 독특한 산과 바다, 처음 본 나무와 꽃, 그리고 색다른 모양의 집, 마을들. 그리고 그곳에서 살아가는 사람들의 모습도 각각 달라요. 이러한 새로운 것들을 보고 느낄 수 있는 여행을 많이 하면 생각의 깊이와 안목이 달라져요. 한 가지만 고집하기보다 유연하고 깊이 있게 생각할 수 있는 사고력이 길러지기 때문이에요. 또 다른 문화를 이해하고 세계의 여러 나라 사람들과 어울릴 수 있는 친화력이 생겨요. 피부색, 언어, 생활 습관, 문화가 다른 사람들이 살아가는 모습을 직접 보고 부딪치면서 다름에 대한 이질감이나 선입견이 사라지고 더불어 살아가는 마음을 배우게 되는 거지요.

여행은 가족 관계에도 변화를 줄 수 있어요. 여행 중 아빠와 하루 종일 함께 시간을 보내고, 엄마와 긴 이야기를 나눈 추억은 오랫동안 기억에 남아 삶을 풍요롭게 만들어 주어요. 친구나 직장 동료도 마찬가지예요. 그리고 여행 중에는 예상하지 못했던 돌발적인 일들이 많이 생겨요. 이러한 일들에 대처해 나가면서 문제를 해결하는 능력을 키울 수 있답니다.

영국 학생들의 특별한 여행, 갭이어

영국에서 시작된 갭이어(GAP YEAR). 갭이어는 고등학교를 졸업한 후 곧바로 대학에 진학해 공부를 하는 게 아니라 쉬면서 다양한 경험을 쌓는 해를 뜻해요. 우리말 그대로 번역하면 '틈, 사이의 해'라는 뜻이지요. 학생들은 갭이어 기간에 주로 봉사 활동이나 여행을 하고, 혹은 가게나 회사를 차리거나 회사에 인턴 사원으로 들어가 경험을 쌓기도 해요. 이를 통해 학생들은 앞으로 무엇을 하며, 어떻게 살아가야 할지 진지하게 고민해 볼 수 있어요. 갭이어를 충실하게 보낸 학생은 이후 생활에 훨씬 더 열정적이고 적극적인 태도를 보였어요. 그러자 유럽의 여러 나라에서 갭이어 제도를 받아들이기 시작했어요. 미국이나 캐나다에서도 갭이어를 시행하고 있는 학교가 많아요. 특히 대학 시절 공부를 포기하는 학생이 많았던 미국과 캐나다에서는 갭이어 시행 후, 도중에 공부를 포기하는 학생 수가 많이 줄었다고 해요. 핀란드는 중학교 3학년 때 갭이어를 갖는데, 그 기간에 많은 학생들이 여행을 한다고 해요. 배낭여행을 통해 세상을 둘러보며 다양한 체험을 하면서 바람직한 삶의 방향을 잡아 가는 거지요.

〈기네스북〉에 오른 여행자, 그레이엄 휴스

세계에는 많은 나라가 있어요. 그런데 그중에서 우리가 여행을 갈 수 있는 나라는 200여 나라 정도예요. 그 외의 나라는 전쟁 중이거나, 개방이 되지 않았거나, 전염병 등의 이유로 여행이 금지되어 있어요. 세계의 많은 사람들은 다른 문화, 새로운 경험을 할 수 있는 여행을 꿈꾸지요. 그런데 영국인 그레이엄 휴스는 비행기를 타지 않고 버스, 기차, 배 등의 대중교통을 이용해 거의 모든 나라를 여행했어요. 그는 2009년 1월 우루과이를 시작으로 세계 여행에 발을 내딛었어요. 1주일에 100달러, 즉 10만 원 정도의 여비로 여행을 했고 하루도 쉬지 않았어요. 그는 스파이로 몰리는 등 수많은 어려움을 겪었지만 포기하지 않고 2012년 11월, 신생 독립국이 된 남수단을 끝으로 201개국의 여행을 마쳤어요. 그가 전 세계 201개국을 돌아보는 데는 총 1426일이 걸렸지요.

휴스는 '대중교통으로만 가장 빨리 세계의 모든 나라를 방문한 기록'으로 〈기네스북〉에 올랐어요. 그가 선택한 여행은 휴식을 위한 여행이 아니었어요. 자신의 발로 전 세계를 다 돌아보겠다는 당찬 꿈을 스스로 실천한 거예요.

교육에 대한 다른 생각

천천히
나아가다

06 우리가 생각해 봐야 할 〈시험의 목적〉

★ 건강한 시민을 길러 내는 시험, 바칼로레아

고등학교 졸업을 앞둔 수험생들이 대학 입학을 위해
주관식 논술 문제를 풀어야 하는 시험, 바칼로레아.
건강한 시민을 만드는 것이 목적인 프랑스의 독특한 시험,
바칼로레아에 대해 알아보자.

프랑스 고등학생들이

대학에 들어가기 위해 치르는 시험

'바칼로레아'.

복잡한 지문 없이

짧은 한 문장으로 된

주관식 논술 문제

'타인을 심판할 수 있는가?'(2000년)

'모든 사람을 존중해야 하는가?'(1993년)

이는 자신의 생각을 써야 하는

철학 시험 문제

제시되는 3문제 중 하나를 골라

4시간에 걸쳐 쓴다.

 오랫동안 깊이 생각해 본 문제는 어떤 것이 었나요?

바칼로레아는

철학 과목을 포함한

과목 모두

주관식 논술

수험생 : 시험을 치르는 학생

논술 : 어떤 것에 관하여 의견을
논리적으로 서술함.

수험생들은

5일간 시험을 치르고

20점 만점에 10점 이상이면

시험에 통과한다.

시험에 통과하면
점수에 상관없이
원하는 국공립 대학에 입학할 수 있다.

10점 이상을 받은 합격자는
전체 수험생의
약 80% 이상

수험생 대부분이 합격을 한다.

바칼로레아 철학 시험이 있는 날
"올해는 어떤 철학 문제가 나왔을까?"

수험생처럼
철학 시험 문제를 기다리는
프랑스 국민들

그리고 텔레비전에 출연해
자신이 작성한 답안을 발표하는 정치인들

빈 강당에 모여
자신의 생각을 이야기하는
학자와 시민들.

거리에서
공원에서
집 안에서
프랑스 곳곳에서

자발적 : 남이 시키거나 요청하지
않아도 스스로 나아가 하는 것

자발적으로
즐겁게
시험을 치르는 사람들.

그렇게 해마다
프랑스 국민이 함께 생각하고 답해 온
바칼로레아 철학 문제들

중국의 천안문 사태가 있었던 1989년의 문제
"폭력은 어떤 상황에서도 정당화될 수 없는가?"

2013년, 정치인의 탈세와
온갖 비리로 얼룩졌던 프랑스,
수험생과 시민들이 답해야 했던 질문
"정치에 관심이 없으면서
도덕에 대해 말할 수 있는가?"

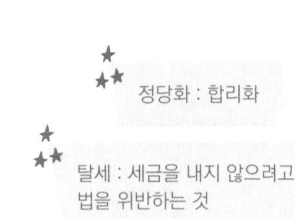

정당화 : 합리화

탈세 : 세금을 내지 않으려고
법을 위반하는 것

이렇게 200년 넘게
프랑스 시민을
생각에 빠뜨린 바칼로레아

1808년
이 시험을 만든 목적은
건강한 시민,

스스로 생각하고 행동하는
건강한 시민을 길러 내는 것이었다.

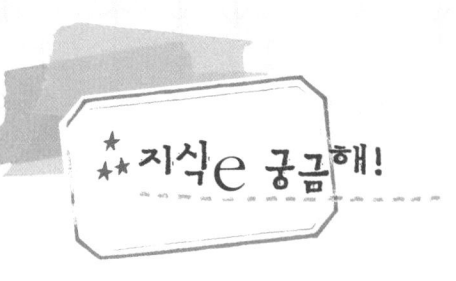

프랑스의 대학 입학시험, 바칼로레아

바칼로레아는 1808년 나폴레옹 시대부터 시작된 프랑스의 국가시험이에요. 우리나라로 치면 고등학교 졸업 시험이면서 대학교 입학시험과 같아요. 프랑스에서는 초등학교 5학년을 마치고 중등 교육의 제1단계에 들어가요. 그리고 이 과정을 마치면, 제2단계인 직업 교육 면허증을 딸 수 있는 2년 과정과 대학 입학 자격시험을 볼 수 있는 3년 과정 중에서 하나를 선택해요. 바칼로레아는 대학 입학 자격시험을 볼 수 있는 과정을 선택한 학생이 3학년을 마칠 때 보는 시험이에요. 이 시험을 '박(bac)'이라고 줄여서 부르기도 해요.

바칼로레아는 암기식 문제가 아니라 대부분 깊이 생각하게 하는 논술형 문제들이 출제돼요. 절대 평가 제도로 20점 만점에 10점만 넘으면 합격이고, 합격한 학생은 누구든 자신이 원하는 대학교에 지원할 수 있어요. 프랑스의 일반 대학교는 학생 수가 정해져 있지 않아서 바칼로레아에 합격하면 누구든지 들어갈 수 있어요.

프랑스의 엘리트 교육, 그랑제꼴

프랑스에서는 바칼로레아에 합격한 학생이면 누구나 일반 대학교에 들어갈 수 있지만 엄격한 선발 과정을 거쳐야 입학할 수 있는 그랑제꼴이 있어요. 그랑제꼴은 프랑스 사회를 이끌어 갈 엘리트 양성이 필요하다는 생각으로 18세기 후반부터 국가에서 만들기 시작했어요. 그랑제꼴은 다양한 학과가 있는 일반 종합 대학과 달리 정치, 행정, 경영, 공학, 군사 등의 한 분야만을 가르치는 소수 정예의 교육 기관이에요. 각 분야마다 최고 수준의 교육을 시키고, 졸업

후 학생들은 사회의 중추적인 역할을 해 나가지요.

소수의 엘리트 양성 기관인 만큼 그랑제꼴에 입학하기는 쉽지 않아요. 바칼로레아에서 높은 점수를 받은 상위권 학생들이 지원하는데 처음에는 그랑제꼴 준비반에 들어가 2년 동안 별도로 교육을 받아야 해요. 이 과정을 마친 후 입학시험을 치러서 통과해야 입학할 수 있어요. 그런데 그랑제꼴의 입학시험에서 떨어진 학생은 다시 그 시험을 볼 수 없대요. 즉, 그랑제꼴 입학시험을 볼 기회는 단 한 번밖에 없는 거지요. 대신 시험에 떨어진 경우 2년 동안 그랑제꼴 준비반에서 공부한 것을 대학 교육으로 인정해 일반 대학교의 3학년에 편입할 수 있답니다.

다른 나라들의 시험

이탈리아는 교육에서 '나와 내가 속한 사회'에 대한 중요성을 일깨워 주는 것을 중요하게 생각해요. 사회 구성원이 주변 사람들과 조화를 잘 이루며 살아가야 한다는 생각에서지요. 그래서 지식 교육뿐만 아니라 더불어 살아가는 데 필요한 예절이나 습관 등을 중요하게 가르치고 있어요. 그리고 학생들은 수시로 말로 하는 시험을 치러요. 의사소통을 평가하는 시험으로, 자신의 의사를 상대방에게 정확하게 전달하고 상대방의 말을 잘 이해하는지 알아보지요. 학생들은 이 시험을 치르기 위해 자신의 생각이나 알고 있는 것을 말로 정확히 표현하는 훈련을 많이 한대요.

중국의 정규 대학 입학시험은 보통 6월에 치러져요. 그런데 6월 시험에서 실력을 제대로 발휘하지 못한 학생들에게 한 번의 기회를 더 주는 제도가 있어요. 다음 해 4월에 치르는 춘계 고시를 다시 볼 수 있지요. 그런데 이 제도를 적용하는 대학이 많지는 않대요.

북한에도 대학 입학시험이 있어요. 우리와 비슷한 시기인 11월 즈음에 치러지는데 국어, 수학, 과학, 외국어와 같이 일반적인 과목 외에 '김일성과 김정일의 혁명 역사'와 같은 과목이 점수에 있어 큰 비중을 차지한대요.

07 글쓰기가 아닌 〈글짓기하지 마세요〉

★ "글을 지어내지 말고 있는 그대로 쓰세요."

"아름다운 삶을 가꾸는 데 글쓰기보다 더 좋은 교육은 없다.
글을 쓸 때는 솔직하게 써라. 지어내서 쓰면 안 된다."
이렇듯 아이들에게 바른 글쓰기 교육을 강조하며 손수 가르쳤던
이오덕 선생님의 이야기를 들어 보자.

1960년대
어느 시골 초등학교의
조금 색다른 수업

선생님이 아이들에게
하시는 말씀

"어린이 여러분,
글짓기하지 말고 글쓰기를 하세요."

글짓기와 글쓰기는
무엇이 다를까?

 일기에는 주로 어떤 내용을 쓰나요?

선생님은 아이들에게 꼭
몇 가지를 당부했다.

첫째,
자신이 평상시에 하던 말을
그대로 써도 괜찮아요.
더러 서투른 말이 나와도 상관없어요.

둘째,

착한 어린이가 된 것처럼 쓰지 마세요.

칭찬을 받기 위해서,

잘 보이기 위해서 꾸미지 마세요.

셋째,

슬프고 괴로운 일,

부끄러운 일도 괜찮아요.

얼마든지 좋은 글이 될 수 있어요.

넷째,

잘 쓴 글이라고 해도

그것을 흉내 내지 마세요.

다만 그 글의 정직함만 배우세요.

만들어 내는 '글짓기'는 하지 마세요.

있는 그대로 '글쓰기'를 하세요.

아이들의 글은
선생님의 오랜 보물

그 보물을 세상을 향해 꺼내 놓은
선생님

이오덕(1925~2003) : 한국의 아동 문학가.
글쓰기 교육 운동과 우리말 연구에 힘썼다.

아동 문학가
이오덕.

내 마음

내 얼굴이 못뗐다.
내가 못떼 놓니까
아이들이 나한테
놀지 안 한다.
아이들은
제 마음대로 논다.
_(안동 OO초등학교 2학년 여학생)

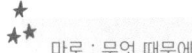
마로 : 무엇 때문에

> 촌
>
> 우리는 촌에서 마로 사노?
> 도시에 가서 살지.
> 라디오에서
> 노래하는 것 들으면 참 슬프다.
> 그런 사람들은 도시에 가서
> 돈도 많이 벌일 게다.
> 우리는 이런 데 마로 사노?
> (안동 ○○초등학교 2학년 남학생)

이오덕 선생님의
'글쓰기' 수업 이후

전국의 수많은 교실에서 이어지는
글짓기가 아닌 글쓰기 수업

"네가 살아가는 이야기를
너의 말로 쓰렴."

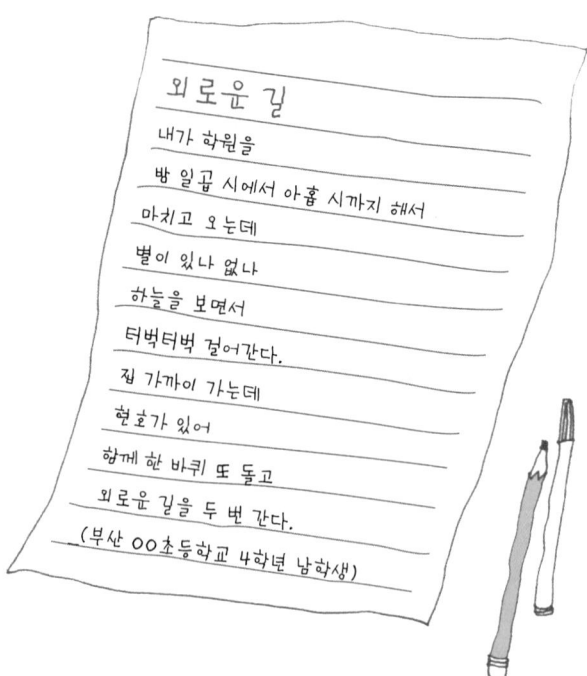

외로운 길

내가 학원을
밤 일곱 시에서 아홉 시까지 해서
마치고 오는데
별이 있나 없나
하늘을 보면서
터벅터벅 걸어간다.
집 가까이 가는데
현호가 있어
함께 한 바퀴 또 돌고
외로운 길을 두 번 간다.
(부산 ○○초등학교 4학년 남학생)

"우리가 현실에서
아이들에게 가르쳐야 할
가장 중요한 삶의 태도는

사람다운 감정과 생각을 가지고
사람다운 행동을 하는 것이라고 믿습니다.

글쓰기는 그런 삶을 가꾸는
참으로 귀한 수단입니다."

글을 쓰게 하는 것보다
더 좋은 교육이 있는지를 나는 모릅니다.

_(이오덕, 아동 문학가)

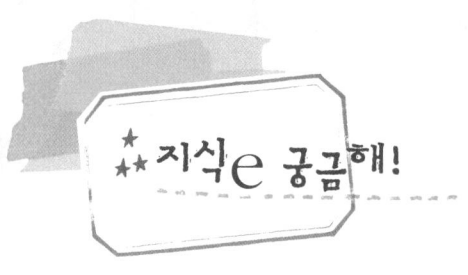

글짓기와 글쓰기, 무엇이 다를까요?

글은 꼭 잘 써야 할까요? 또 어떤 글이 잘 쓴 글일까요? 작가들이 소설이나 동화를 쓸 때에는 사람들의 흥미를 끌고 재미있게 이야기를 만들어 써요. 하지만 일기나 시를 쓸 때는 자신의 솔직한 생각이 담긴 글을 써야 해요. 글짓기는 말 그대로 글을 지어내는 것이고, 글쓰기는 자신의 생각을 자연스럽고 솔직하게 글로 써서 표현하는 것을 말해요. 그래서 이오덕 선생님은 아이들은 꾸며서 쓰는 '글짓기'를 하지 말고 '글쓰기'를 해야 한다고 하셨답니다.

우리말 지킴이, 이오덕

이오덕(1925~2003) 선생님은 경상북도 청송의 농촌에서 태어났어요. 그는 어려서부터 책을 좋아했어요. 그런데 초등학교를 졸업하고 집안 형편이 어려워 중학교에 가지 못하고 2년 동안 농사일을 돕다 나중에야 농업 학교에 들어갔어요. 학교에 다니면서도 실습 때문에 일을 많이 해야 했지요. 이오덕 선생님은 그때 '땀 흘리며 일하는 것과 밥을 해서 함께 나누어 먹는 것'의 고마움을 배웠다고 해요.

그 후 초등학교 교사가 된 이오덕 선생님은 43년 동안 동화와 동시를 쓰고 어린이들에게 글쓰기를 가르쳤어요. 그리고 우리 말과 글의 아름다움을 발견하고 다듬어 널리 알렸지요. 특히 한자어와 외래어, 외국어가 밀려 들어와 마구 사용되던 때에 우리말을 지키고 되살리는 일에 평생을 바쳤어요. 그래서 이오덕 선생님은 '우리말 지킴이'라고 불렸어요.

이오덕 선생님의 글쓰기 수업

이오덕 선생님은 아이들이 글쓰기를 싫어하는 이유로 첫째, 글을 잘 쓰라고 압박하기 때문이라고 했어요. 솔직한 생각을 쓰기보다 남이 보기 좋게 꾸며 쓰도록 강요한다고요. 둘째, 무엇이든 시키는 대로 따라 하게 해서 스스로 생각하는 힘을 잃어버렸기 때문에 아이들이 창조하는 글쓰기를 싫어하게 되었다고 했어요. 셋째, 텔레비전이나 게임이 아이들의 '생각'을 막는다고 했어요.

이러한 문제들을 없애기 위해 이오덕 선생님은 하고 싶은 말을 마음껏 쓰게 하는 '글쓰기 수업'을 했어요. '글쓰기는 자기표현의 으뜸이 되는 수단이다. 아이들은 글쓰기를 함으로써 자신의 느낌과 생각을 넉넉하게 하고, 지식을 정리해서 제 것으로 삼고, 이성을 키우고 건강을 얻는다. 하고 싶은 말을 마음껏 글로 쓰게 하는 것이 아이들을 무럭무럭 자라나게 하는 가장 좋은 방법이다.' 라고 강조했지요.

이오덕 선생님은 아이들에게 생활이 살아 있는 글을 쓰게 했고, 사실을 올바르게 나타내는 진실한 말로 쓰게 했어요. 또 잘한 일, 좋은 일만 쓰는 것이 아니라 부끄러운 일, 실수한 것 등 실제로 있었던 일을 쓰게 했어요. 그리고 어른 흉내를 내는 것과 다른 작품을 흉내 내는 것을 엄격하게 금했답니다.

일기 쓰기의 힘

글을 잘 쓰고 싶지만 글쓰기가 잘 되지 않나요? 글을 잘 쓰는 방법 중 하나는 일기를 쓰는 거예요. 오늘 하루 있었던 일이나 어떤 것에 대한 자신의 생각을 날마다 일기로 써 보세요. 일기를 쓰면서 하루 일과나 사건에 대한 생각을 정리할 수 있고, 글을 잘 쓰는 힘도 기를 수 있어요. 이오덕 선생님도 일기 쓰기를 강조하고 늘 일기를 쓰셨어요. 선생은 돌아가실 때까지 98권의 일기를 남겼고, 돌아가시기 이틀 전까지도 일기를 썼다고 해요.

08 방학의 목적,
〈많이 놀도록 하십시오〉

★ 방학 동안에는 학업을 쉬고 충분히 놀아야 한다

방학은 아이들이 공부에서 벗어나도록 허락된 시간이다.
그런데 요즘 아이들 중에는 방학에도 공부를 많이 해야 해서
방학이 싫다고 말하는 아이들도 있다.
방학의 의미를 알아보고 어떻게 지내면 좋을지 생각해 보자.

여름 방학

8월을 중심으로 30~35일 정도

겨울 방학

1월을 중심으로 40일 정도

방학(放學) = 학업을 쉬다

★
★★ 학업 : 공부하여 학문을 닦는 일

방학은 학업을 쉬고

충분히 놀아도 되는 시간

방학에
잘 쉬고 있나요?

 지난 방학 때 무엇을 하고 지냈나요?

고려 시대
사학인 '12공도'에서는

★
★★ 사학 : 고려 시대의 사설 교육 기관

매년 여름철이면
맑고 깨끗한 산속의 방을 빌려
시를 짓고
더위를 피해 학습하는
'하과(夏課)'를 실시했다.

★
★★ 12공도 : 고려 시대 문종 이후 개경에
있던 12개 사학을 이름. 12도라고도 함.

★
★★ 하과 : 고려 시대 사학의 선비들이
무더운 여름철에 50일 동안 절에
들어가서 합숙하며 하던 공부

조선 시대
교육 기관인 '서당'에서는

무더위로
능률이 오르지 않는 한여름에
머리를 식히고
흥을 돋우는 시를 읽고 쓰며
휴식을 취했다.

이후

근대식 교육 제도가 시행되면서

휴식 시간이 의무화되었다.

그것이 바로,

방학.

 의무화 : 꼭 해야 하는 사항으로 정함.

그리고 80년 전,
방학에 대해 신문에 실린 기사

한 달이나 되는 방학에
아이들 지도법,
'만히 먹고 만히 놀도록 하십시오.'
어머니께 드리는 말슴.

_(1937년 12월 25일, ○○일보)

이 시기 방학의 목적은
더위와 추위를 피하여 학교를 쉬는 것,
농번기에 가사를 돌보아 주는 것, 책을 읽고 여행을 하고,
신체를 단련하는 시간으로 활용하는 것이었다.

_《방학 운영에 관한 역사적 고찰》, 한국교육사상연구회)

그리고 동요에도 나와 있는
여름 방학에 해야 할 일

푸른 산이 부른다. 우리들을
푸른 숲이 부른다. 우리들을
산딸기 따러 가자 산으로 가자.
매미채 둘러메고 산으로 가자.

_(노래 '여름 방학', 초등학교 2학년 교과서)

그런데 요즘
초등학생을 대상으로 한 설문 조사

여름 방학 계획은?
1위
공부 71.3%

그렇다면
여름 방학 때 가장 하고 싶은 일은?
1위
가족 여행 24%

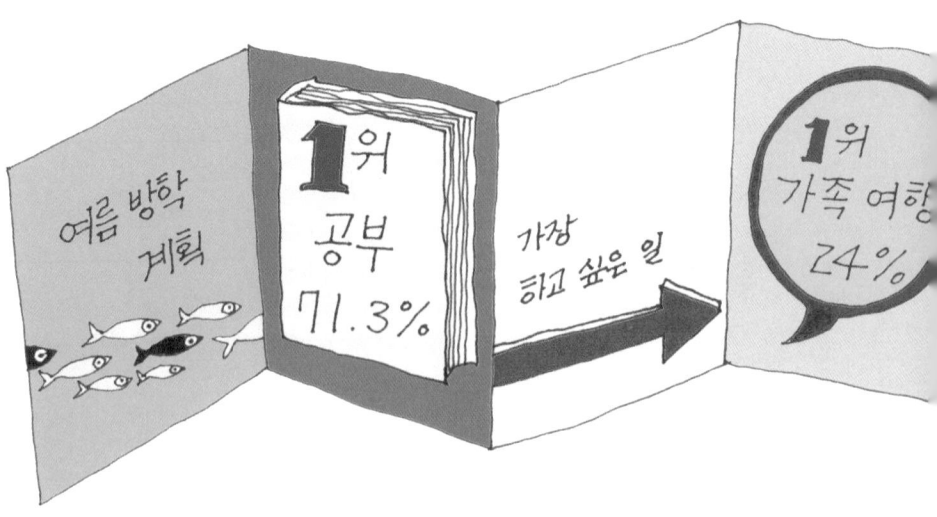

그러나
실제로 여행 계획이 있는 가족은
18%에 불과하고
초등학생 92%는
가끔 방학이 싫을 때가 있다고 한다.

방학이란?
학생이 공부에서 벗어나도록
허락된 유일한 시간.

방학을
방학답게 보내고 있나요?

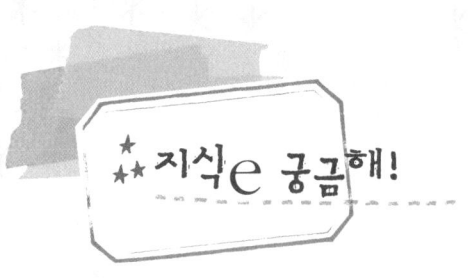

방학

날씨가 너무 덥거나 추울 때 학업을 내려놓고 쉼을 갖는 방학은 아주 오래전부터 있었어요. 사실 옛날에는 방학이 여러 가지로 꼭 필요했어요. 방학은 학생들이 공부에서 벗어나 마음껏 뛰놀도록 해 주기 위한 것이었지만, 교실에 난방이나 냉방 시설이 잘 되어 있지 않았기 때문에 너무 춥거나 더운 시기에 집에서 지내도록 한 거예요. 또 옛날에는 봄과 가을에도 방학이 있었는데 그것은 한창 씨를 뿌리고 추수할 바쁜 시기에 농사일을 도우라는 뜻이었어요. 농촌에서 방학은 집안일을 돕는 중요한 시기이기도 했어요.

지금의 방학은 어떨까요? 요즘 아이들은 방학에 가족과 함께 여름 휴가를 가거나 놀이동산 등에 놀러를 가기도 하지만 대부분의 시간은 학원을 다니며 지내고 있어요. 공부를 쉬고 많이 먹고 많이 놀도록 하라는 본래의 목적에는 맞지 않을지라도 방학 동안 부족한 공부나 자신 없는 과목을 열심히 공부하면서 그 밖의 시간을 어떻게 잘 보낼 것인지 생각해 보세요.

방학 알차게 보내기 작전

방학을 알차게 보낼 수 있는 여러 방법을 생각해 보세요. 우선 가 보고 싶은 곳을 생각해요. 여행은 꼭 멀리 가거나 여러 날 가야 하는 것은 아니에요. 부모님이 시간을 많이 내기 어렵다면 주말을 이용해도 좋고, 미술관이나 박물관, 영화관, 공연장, 지역 축제 등 하루나 반나절 코스도 좋을 거예요. 미리 부모님과 가능한 날과 장소를 함께 의논해 봐야겠지요? 그리고 학원을 다닌다고 해도 학교에 다닐 때보다는 시간이 남을 테니 그동안 못 읽었던 책을 실컷 읽어요. 또 방학은 학교에서는 쉬는 시간과 점심시간에만 놀 수 있었던 친구들과 몇 시간씩 함께 놀 수 있는 좋은 기회예요. 그러니 친구들과 컴퓨터 게임이나 텔레비전 시청만 하지 말고 밖에 나가 자전거를 타거나 스포츠, 놀이 등을 하며 뛰어놀아요. 그리고 방학 동안 자신에게 맞는 운동을 하거나 그림이나 악기, 종이접기 등 새로운 것을 배워도 좋아요. 알찬 방학을 보내기 위해 스스로 계획을 짜고 실천하세요.

조선 시대 교육 기관 성균관

조선 시대에는 오늘날의 대학과 같은 교육 기관으로 성균관이 있었어요. 어려운 시험을 통과해 성균관에 입학한 학생들은 '유생'이라고 불렸으며 '재'라는 기숙사에서 생활했어요. 성균관의 교육 과정을 마친 유생은 대부분 나라의 중요한 관직에 들어가 나랏일을 했지요. 성균관의 유생들은 매달 8일과 23일이 휴일이었어요. 이날은 집으로 가서 가족과 시간을 보냈어요. 그리고 한여름에는 공부를 쉬고 시원한 곳을 찾아 시를 짓거나 놀면서 지냈답니다.

세계 여러 나라의 방학 이야기

러시아, 캐나다, 가나, 벨기에, 오스트레일리아에는 방학 숙제가 없어요. 우리나라에도 방학 숙제가 거의 없는 학교가 늘고 있지요. 프랑스는 봄, 여름, 가을, 겨울 할 것 없이 때때로 방학을 해서 학교 다니는 날이 비교적 짧고 방학이 긴 편이에요. 이탈리아도 3개월 정도의 긴 여름 방학을 해요. 미국은 여름 방학이 긴 반면 겨울 방학은 크리스마스 시즌에 짧게 해요. 대신 그 기간에는 가족들과 친지를 방문하거나 조촐한 파티를 하는 등 철저히 쉬는 시간을 가져요. 짧지만 가족 모두가 함께하는 뜻깊은 시간으로 활용하지요.

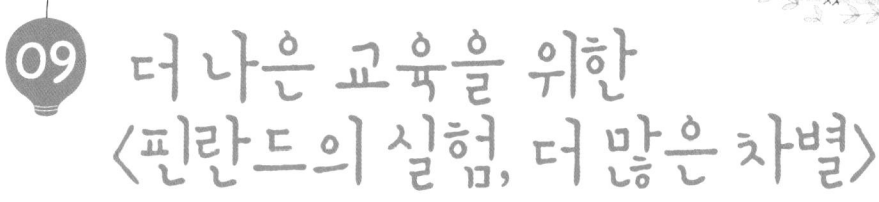

09 더 나은 교육을 위한
〈핀란드의 실험, 더 많은 차별〉

★ 차이를 넓히는 것이 아니라 차이를 좁히는 차별

공부를 못하는 아이는 따로 더 학습시켜 다른 아이들의 수준까지
끌어올리는 것을 원칙으로 하는 핀란드의 교육 철학.
못하는 아이에게 더 관심을 쏟는 차별 교육으로, 교육 경쟁력
세계 1위라는 결과를 낸 핀란드의 교육에 대해 알아보자.

학교에서의
경쟁을 금지하는 나라,
핀란드.

핀란드 학생들에게 성적표는 있다.
하지만 등수는 없다.

성적표에는
각자의 수준에 맞게 설정한 목표를
얼마나 달성했는지만 표시한다.

경쟁 대상은
친구가 아닌 내 자신.

 학교에서 경쟁이 없어진다면 어떤 변화가 생길까요?

그렇다면
핀란드는 어떤 교육을 하고 있을까?

초 · 중등 9년 과정을 마치면
실시되는
단 한 번의 우열을 가리는 시험

우열 : 나음과 못함.

낙오자 : 대열에서 처져
뒤떨어진 사람

시험의 목적은?
단 1명의 낙오자도
없어야 한다.

그런데
시험을 통해 가려진
성적이 좋지 않은 아이는
차별을 받게 된다.

어떤 차별일까?

성적이 좋지 않은 학생에 대한
차별이란

그 학생에게
1.5배의 예산을 들여
다른 학생과 같은 수준으로
끌어올리기 위해서
따로 공부를 시켜 주는 것.

"우리는 잘하는 학생보다
못하는 학생에게 더 관심이 많다.
우리는 천연자원이 부족해서
어느 아이의 재능도 잃어버릴 여유가 없다."

대부분의 나라에서는
잘하는 학생에게만
더 많은 기회를 주는 것에 비해

오히려 못하는 학생에게
기회를 더 많이 주는,
거꾸로 가는 핀란드.

그들에게 차별은
차이를 넓히는 것이 아니라
차이를 좁히는 도구.

독특한 차별 교육을 통해서 얻은
성과는?

세계에서 가장 낮은
학생 간 학업 성취도 편차

★
★★ 학업 성취도 편차 : 잘하는 학생과
못하는 학생의 성적 차이

그리고
OECD가 주관한

★
★★ 국제 학업 성취도 평가(PISA) : 경제 협력
개발 기구(OECD)가 3년마다 실시하는
만 15세 이상 학생을 대상으로 각국의 학업
성취도를 비교 평가하는 시험

국제 학업 성취도 평가(PISA)에서
2000년, 2003년, 2006년
연속 1위

경쟁은 경쟁을 낳아 결국 유치원생까지
경쟁의 소용돌이에 말려들게 될 것이라는 사실을
국민들에게 설득시켰다.
학교는 좋은 시민이 되기 위한 교양을 쌓는 과정이다.
그리고 경쟁은……,
경쟁은 좋은 시민이 된 다음의 일이다.

_(에르끼 아호, 핀란드 전 국가교육청장)

남과의 경쟁보다 중요한 것은
나 자신과의 싸움,
차별하는 것보다 더 중요한 것은
함께 가는 것.

지금 혹시,
누군가와 경쟁을 하고 있나요?

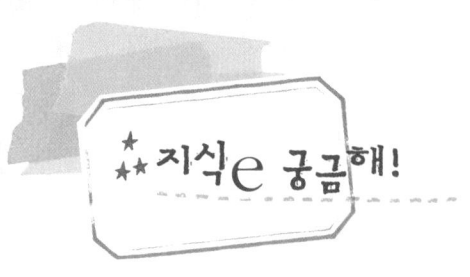

핀란드의 차별 교육

핀란드는 입학해서 9학년을 마칠 때까지 수업료와 급식비를 따로 내지 않는 의무 교육을 실시하고 있어요. 그런데 교육의 주요 목표로 남과 경쟁을 하지  않는 교육, 누구에게나 평등한 교육과 함께 특이하게도 차별 교육을 내걸고 있어요. 그렇다면 아이들을 어떻게 차별하며 교육한다는 것일까요?

핀란드에서의 차별 교육은 '차별'을 통해 아이들 사이의 실력 차이를 좁혀 보려는 정책이에요. 그에 따라 어떤 학생이 학업을 제대로 따라가지 못하면 다른 학생들과 같은 수준으로 올라갈 때까지 그 학생을 따로 공부시켜요. 대부분의 나라에서 잘하는 학생에게 더 관심을 쏟는 것에 비해 더 못하는 아이에게 학습을 더 시켜 주는 특이한 차별 교육을 하는 거지요.

이러한 차별 교육은 아이 한 명 한 명을 소중히 여기는 국가적인 방침에 따라 한 명의 아이도 낙오시키지 않기 위해서 실시하고 있어요. 그 결과 전 세계의 학생 간 학업 성취도 편차가 가장 낮은 나라로 손꼽히게 되었지요. 결국 차별 교육은 평등 교육을 이루는 데 큰 몫을 한 것이지요. 기회를 주기 위한, 평등을 위한 핀란드의 차별 교육은 공부를 잘하는 친구들에게 더 관심을 주는 경우보다 더 좋은 효과가 있답니다.

나 자신과 경쟁하라

경쟁은 어떤 일에서 이기거나 앞서려고 서로 겨루는 것을 말해요. 어느 정도의 경쟁은 아이들의 의욕을 불러일으키는 좋은 점이 있어요. 경쟁심이 없다면 무언가를 열심히 해내려고 하지 않을 테니까요. 하지만 지나친 경쟁은 좋지 않아요. 공부에서도 마찬가지예요. 공부는 남을 이기려고 하기보다는 자기 자신을 이겨 내는 것이 중요해요. 현재보다 더 잘하려면 어떻게 해야 할지 스스로 생각하고, 인내하며 노력해야 하지요. 남과 비교하며 경쟁하면 더 힘들고 친구들과도 친하게 지내기도 어려워요.

핀란드에서는 남과 비교하고 경쟁하는 것을 막기 위해 상대 평가가 아닌 절대 평가로 성적을 표시해요. 남과 비교해서 얼마나 잘했느냐가 아니라 자신이 이전보다 어떻게 발전했는지 표시하는 거지요. 그리하여 성적표를 받아 들면 각 과목마다 노력한 결과가 어떤지, 다음에는 무엇을 더 노력해야 할지 스스로 생각하도록 이끌어 준답니다.

핀란드의 교육을 이끈 에르끼 아호

에르끼 아호는 시골 학교에서 학생들을 가르치다 핀란드 교육청장이 되어 20여 년 동안 교육 개혁을 이끌었어요. 그는 초등학교와 중학교를 통합한 종합 학교 제도를 만들었고, 전문 교사 양성을 중요시하는 정책을 펼쳤어요. 그리고 경쟁이 없고, 평등한 교육을 하되 학습을 잘 따라가지 못하는 학생들이 뒤처지지 않도록 더 챙기는 차별 정책도 펼쳤어요. 현재 핀란드의 차별 교육과 평등 교육, 비경쟁 교육을 완성한 것이지요.

에르끼 아호는 자신이 교육 개혁에 큰 변화를 일으켰다고 말하지 않아요. 여러 사람과 함께 교육의 방향을 세우고 추진한 것은 맞지만, 경쟁이 행복한 사회를 만들지 못한다는 시민들의 생각이 핀란드 교육을 이끌었다고 말이에요. 핀란드의 교육은 시대와 환경에 따라 갑자기 변한 것이 아니라 오랜 세월을 두고 천천히 더 나은 방향으로 바뀌었는데, 그것이 성공을 하게 된 비결이라고 말한답니다.

사회에 대한 다른 생각

이해하고
배려하다

10 이웃의 아픔을 먼저 헤아리는 〈가이드라인〉

★ "재난 보도를 할 때 희생자와 가족을 먼저 배려하라."

우리나라나 외국에 큰 재난이 발생하면 뉴스에서 신속히 보도한다.
'어떻게 되었을까? 얼마나 많은 사람이 피해를 입었을까?'
이런 재난 소식을 보도할 때 꼭 지켜야 할 가이드라인이 있다.
알 권리보다 더 중요하게 지켜야 할 가이드라인에 대해 알아보자.

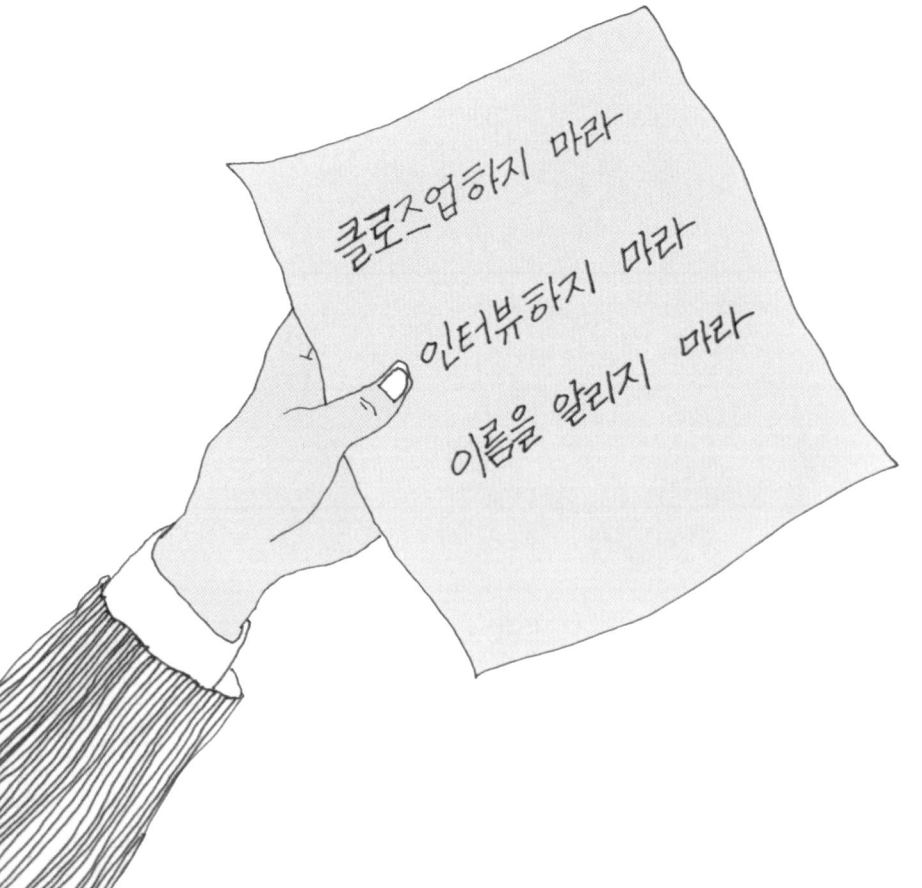

재난 현장을 취재하는
기자들에게 주어진
가이드라인

★
★★
재난 : 뜻밖에 일어난
불행한 사고

★
★★
가이드라인 : 언론 보도를 할 때 해서는
안 되는 선을 정해 놓은 보도 지침

'그들을
클로즈업하지 마라.
인터뷰하지 마라.
이름을 알리지 마라.'

사실 보도가 임무인
기자에게

왜 인터뷰도 하지 말고,
이름도 알리지 말라고 했을까?

 내가 기자라면 재난 현장에서 어떤 인터뷰를 하게 될까요?

재난은
특정한 시점에 특정한 지역에서 발생하여
그 지역 사회 전체 혹은 일부분이
심각한 인명 피해와
정신적·물리적 피해를 당해
그 사회의 정상적 기능을
일시적으로 마비시키는 사건이다.

_(찰스 프리츠, 재난 사회학자)

기자들은,

재난이 발생하면

재빠르게 움직인다.

누가 더 빨리

어떤 기사로

시청자를 사로잡을 것인가

속보 전쟁.

속보 : 빨리 알리는 것

사고나 재난이 발생하면
언론은
희생자와 위험에 처한 사람들을 구하는 조치를
정보 제공보다 우선시해야 한다.
_(독일 언론 윤리 강령)

뉴스는
희생자와 위험에 처한 사람들을 구하는
제2의 구조자가 되기도 한다.

공포에 질린 피해자의 목소리 대신
피해자에게 가장 필요한 것을
제공하고

온종일 처참한 재난 현장을
보여 주는 대신

구조에 필요한 인력과 장비
시시각각 변하는 구조 상황을
빠짐없이 전해 준다.

2011년 동일본 지진으로
1만 8000명이 넘는 사람들이
사망하거나 실종됐다.
지금도 늘 더 많은 사람을
구할 수 있지 않았을까 생각한다…….
그래서 우리의 재난 보도로
예상 피해자를 5분의 1 수준으로
줄이겠다는 목표를 세웠다.

_(나카타 야스키, 2012년 NHK 재해기상센터장)

그리고
재난 현장에 선 기자들이
지켜야 하는 의무,
가이드라인.

"힘내십시오."
라는 말을 하고 취재를 시작할 것.
_(NHK : 일본의 공영 방송국)

피해자에게 직접 인터뷰를
요청하지 말 것.
_(BBC : 영국의 공영 방송국)

언제나 멀리 떨어져서 촬영할 것
그리고
말투를 신경 쓸 것

보도의 어조는
그 신뢰성만큼 중요하다.
누군가에게 상처가 될 수 있는 이야기를
다룰 때는 매우 신중해야 한다.

_(BBC 제작 가이드라인 중)

어조 : 말의 가락. 어조에 따라
감정과 기분이 나타난다.

가이드라인을 지킨
'매우 신중한' 뉴스에
없는 것은

희생자의 이름.

희생자의 가족이 우리 방송을 통해
처음으로 희생자의 이름을
확인하게 해서는 안 된다.

BBC는, 보도에서 피해자의 이름이 나오지 않을 때
가족이나 지인들이
필요 없는 걱정을 할 수 있다는 것을 잘 알고 있다.

그럼에도 이름을 공개하지 않는 이유는
방송을 통해 사태를 알게 될 때
가족이 받게 될 고통과 충격이
훨씬 더 크다고 판단하기 때문이다.

_(BBC 제작 가이드라인 중)

궁금한 것을

알려 주는 것보다

앞서야 하는 것은

바로

희생자와 그 가족에 대한 배려이다.

그것이 뉴스가

고통을 함께 나누는 방법이다.

그 어떤 것도

사람보다 중요시되는

일은 없어야 한다.

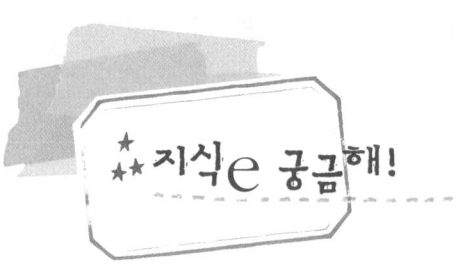

알 권리와 보도의 권리

요즘은 뉴스를 통해 우리나라 소식뿐 아니라 전 세계의 소식도 실시간으로 전해 들을 수 있어요. 특히 세계적으로 관심을 끄는 사건의 경우, 그 사건이 어디에서, 어떻게 일어났는지, 사건에 관련된 사람은 어떤 사람인지 자세히 보도해 주어요. 그런데 사건의 주인공은 어떨까요? 갑작스러운 사건을 겪으면서 당황하거나 혹은 깊은 슬픔에 빠져 있는 당사자는 자신의 일이 전 세계에 알려지는 것을 원하지 않을 수 있어요. 또 힘든 가운데 기자가 찾아와 대답하고 싶지 않은 질문을 하는 것도 싫어할 수 있어요. 대중에게는 사실이나 진실에 대해 알 권리가 있지만, 반대로 사건 당사자는 알리고 싶지 않은 일을 알리지 않을 권리가 있어요.

그래서 소식을 전해 주는 사람들의 역할이 중요해요. 알 권리를 보장한다는 이유로 무조건적으로 모든 일을 보도해서는 안 돼요. 그 사람의 상황을 먼저 생각하고 배려하는 마음가짐이 필요해요. 기자의 역할은 국민에게 정확한 정보를 전달하는 것이지만 전하는 사건의 성격에 따라 방식이 달라야 해요. 기쁜 소식은 빨리, 널리 알리면 좋겠지만 슬프거나 충격적인 사실은 그 일을 겪는 사람을 생각해서 신중하게 보도해야 해요. 전해야 할 소식이나 일보다 사람이 먼저라는 거지요.

영국의 공영 방송국인 BBC에서는 재난이나 슬픈 일을 당한 사람들을 취재할 때 지켜야 할 가이드라인을 자세하게 정해 놓았어요. 재난을 당한 사람을 어떻게 대해야 하는지, 그들을 어떻게 존중하고 배려해야 하는지에 대한 지침이에요. 그래서 BBC의 가이드라인은 방송 보도의 모범이 되고 있어요.

BBC의 재난 보도 가이드라인

BBC는 전쟁, 테러, 비상사태, 기타 비슷한 사건의 실상을 있는 그대로 보도하는 동시에 인간의 존엄성을 존중해야 한다고 강조해요. BBC의 재난 보도에 대한 가이드라인을 보면 사람 존중이 최우선임을 알 수 있어요.

"사람들이 죽고 부상을 당하거나 실종된 경우, 가능하면 피해자의 가족이 이 사실을 방송 보도를 통해 알지 않도록 한다. 보도에서 이름이 나오지 않으면 답답해 하고 걱정이 많겠지만, 그들이 미디어를 통해 가족의 사망이나 부상을 확인했을 때 느끼는 정신적 고통에 비하면 별로 크지 않다. 개인 희생자의 이름을 밝히지 않으면서 신속히 사건의 실태를 알려 줘야 한다. 이를테면 비행기가 추락한 경우 비행 노선, 비행기 편명, 출발지와 도착 예정지 등의 세부 사항을 보도함으로써 쓸데없이 미루어 짐작해 걱정하는 것을 막을 수 있다."

이러한 가이드라인은 피해자 가족의 충격을 최대한 막으면서 자세하고 정확한 정보를 제공해 조금이라도 안심할 수 있도록 하려는 조치예요.

BBC의 가이드라인에는 보도하는 사람의 말투에 대한 내용도 있어요.

"보도를 전하는 어조는 그 신뢰성만큼 중요하다. 우리는 생명의 위협, 사망, 인간의 육체적·정신적 고통을 둘러싼 내용을 보도할 때 시청자가 느낄 감정과 두려움을 생각해 봐야 한다. 일부 사람에게는 직접 관련된 가족이나 친구가 있을 수도 있다. 사건의 실상을 전달할 때 사람들에게 고통을 주는 표현을 하지 않도록 해야 한다."

이렇게 BBC의 가이드라인에서는 개인의 권리와 아픔을 보호하는 자세와 태도를 엿볼 수 있고, 무엇보다도 사람의 마음을 중요하게 생각하고 배려해야 함을 배울 수 있어요.

우리에게도 가이드라인이 필요해요

과거에는 소식을 전하는 방법이 신문과 방송밖에 없었어요. 하지만 요즘은 인터넷뿐 아니라 스마트폰이 발달하면서 많은 사람들이 소식을 전하는 일을 쉽게 하게 되었어요. 그러면서 뜻밖의 일들이 세상에 낱낱이 공개되기도 해요. 보이고 싶지 않은 모습이나 감정까지도 말이에요. 이런 경우 소식을 접한 사람은 다시 그 소식을 인터넷에서 손쉽게 퍼뜨리게 되고, 그 일의 당사자는 커다란 상처를 입게 되지요. 인터넷 매체로 인해 세상은 너무 공개적으로 변했고, 다른 사람의 사생활이나 감정을 존중하고 배려하는 마음이 많이 부족해지고 있어요.

그리고 사람들은 친구의 사진이나 친구와 있었던 일을 SNS나 인터넷처럼 여러 사람이 보는 공간에 쉽게 올려요. 하지만 이런 일을 하는 경우에도 주의를 기울여야 해요. 여러 명이 함께한 사진이나 사건이라면 함께한 친구들 모두의 의견을 물어보고 공개해야 하지요. 한 명이라도 상처를 받을 수 있거나 놀림을 당할 수 있는 것이라면 공개해서는 안 돼요.

이제 우리에게도 BBC의 가이드라인처럼 친구의 소식을 다른 사람에게 전하거나 많은 사람에게 공개할 때 가이드라인이 필요해요. 그 가이드라인은 존중과 배려가 기본이 되어야 해요. 자신이 전하는 소식이 누군가에게 피해를 주거나 상처가 되지 않도록 항상 주의해야 한답니다.

세계적으로 유명한 잘못된 보도 사건

축구 황제 펠레의 사망 기사

2014년 3월 28일, 미국의 CNN 방송이 아침 뉴스를 통해 브라질의 축구 황제 펠레가 사망했다는 소식을 긴급 뉴스로 전했어요. 그러나 곧바로 브라질에서 펠레가 살아 있다는 반박 기사가 났어요. 정확하지 않은 사실을 특종인 줄 알고 긴급 뉴스로 소개했던 CNN은 1시간 8분 만에 정정 기사를 내야 했지요.

너무 사실적인 베트남 전쟁 기사

전쟁터에서 목숨을 걸고 소식을 전하는 기자를 종군 기자라고 해요. 총알이 빗발치고 폭탄이 터지는 전쟁터에서 목숨을 걸고, 발로 뛰면서 기록한 기사는 위대한 작품으로 인정을 받아요. 크리스토프 존스라는 기자가 베트남과 캄보디아의 무장 단체인 크메르 루주와의 치열한 전투를 기사로 쓴 적이 있어요. 얼마나 사실적으로 묘사했는지 기사를 읽은 독자들은 하나같이 마치 전쟁터에 서 있는 기분이라고 할 정도였어요. 위험한 곳에서 기사를 써 낸 기자의 용감함을 모두 칭송했지요. 그런데 이 기사에 대한 문제 제기가 계속되고 논란이 일자 그는 캄보디아에 간 적도 없고 상상과 소설을 뒤섞어서 쓴 거짓 기사라고 실토했어요.

영국 엘리자베스 여왕 어머니의 사망 기사

재난 보도를 할 때 특별한 가이드라인을 가지고 있는 BBC에서도 실수하는 경우가 있어요. 그중 세계적으로 유명한 사건은 1994년 11월에 일어난 일이에요. BBC는 긴급 뉴스를 통해 엘리자베스 여왕의 어머니가 사망했다고 보도했어요. 영국 국민들은 순간, 심하게 동요했어요. 하지만 여왕의 어머니는 죽지 않았고, BBC는 어이없는 방송 사고를 냈던 거지요.

안중근 의사가 이토 히로부미 저격 기사

미국의 대표적인 일간지인 〈뉴욕 타임스〉는 1910년 8월 14일 '전율의 순간에 찍힌 이례적 순간들'이라는 제목의 기사에, 안중근 의사가 1909년 10월 26일 만주 하얼빈 역에서 일본의 이토 히로부미 통감을 저격하는 그림을 실었어요. 그런데 그림에는 안중근 의사가 일본의 전통 의상인 기모노를 입고 있어요. 하지만 실제 당시 안중근 의사는 양복을 입고 있었으니 엄청난 오보였지요.

11 갈등과 편견을 요리하는 〈컨플릭트 키친〉

★ 음식을 통해 이상한 나라라는 편견을 깨뜨리다

미국 시내 한복판에 생긴 독특한 식당, 컨플릭트 키친.
여기에서는 쿠바, 이란, 아프가니스탄, 북한 등 언론 보도를 통해
세상에 부정적으로 알려진 나라들의 음식을 팔고, 문화를 소개한다.
컨플릭트 키친을 열고 이 나라들을 소개하는 이유를 알아보자.

미국 펜실베이니아 주

피츠버그 시내 중심가

이름도 뜻도 생소한

한글 간판

독특한 메뉴

저렴한 가격

고유의 재료와 조리법을 고스란히 살려

최대한 '북한' 음식답게 요리된 음식들

'오호~'

혀끝으로 만나는

생생한 '북한'.

 알고 있는 북한 음식에는 어떤 것들이 있나요?

이 식당은 6개월마다
'다른 나라' 간판을 내건다.
식당이 택한 '다른 나라들'은
바로,

북한
베네수엘라
아프가니스탄
쿠바
이란.

이 나라들은 미국 정부와 대립 관계에 있으며

세계적으로 몇 안 되는
사회주의 국가이거나
전쟁 국가이거나
무기를 판다고 알려진 국가들이다.

대립 : 의견이나 처지가 서로
반대되거나 모순되는 관계

그래서 이 나라들의 음식을 파는
간이식당의 이름은
대립을 뜻하는
컨플릭트 키친(Conflict Kitchen).

간이식당 : 간단한 설비만을 갖추고
값싸고 간단한 식사를 제공하는
작은 식당

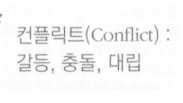

컨플릭트(Conflict) :
갈등, 충돌, 대립

그런데 이 식당은 왜
이런 나라들의 음식을
파는 것일까?

"대다수의 미국인이
이 나라들에 대해 나누는 대화는
핵, 전쟁, 테러 등으로 한정되어 있습니다.
미디어에서 오직 그것만을 이야기하니까요."

그러나
그게 전부일 리가 없지 않은가!

그 나라들에도
문화가 있고, 음식이 있고
사람이 있고, 삶이 있다.

"음식은 지성과 이성을 뛰어넘어
사람들의 마음을 따뜻하게 이어 줍니다."

그래서
컨플릭트 키친에서는
미디어에서 하는 이야기가 아닌,
'다른 이야기'를 찾으려고
특별한 노력을 기울인다.

우선,
재료를 고르고, 다듬고, 빚고,
맛을 내는 모든 과정을
그 나라 사람들에게 직접 배운다.

그리고
미디어가 들려주지 않는
그들의 이야기를 듣고
음식과 함께 담아낸다.

"북한에서는 휴일에 엄마가 고소하고 예쁜
꽃 모양 녹두전을 만들어 준답니다."

"차도르에도 다양한 디자인이 있답니다."

"베네수엘라 사람들은
레몬이 떨어지는 소리를 들으면 음악을,
꽃잎이 떨어지는 모습을 보면
춤을 떠올립니다."

차도르 : 북부 인도, 이란 등지의
이슬람교도 여성들이 외출할 때 얼굴을
가리기 위해 머리에서 어깨로 뒤집어쓰는 천

음식 포장지에 담긴
그곳에 사는 사람들의 소소한 이야기들.

소소하다 : 작고 대수롭지 아니하다.

"음식도 맛있지만
처음 듣는 이야기들이 더 재미있네요."

"시내 한복판에
이런 식당이 있다는 게 놀랍네요."

작은 간이식당에 비해 많은
8명의 직원들

그들의 주요 업무는
요리
그리고
손님과의 대화.

"음식은 사람들을 편안하게 만듭니다.

낯선 사람과의 어려운 대화도

쉽게 물꼬가 트이지요."

음식을 통해

문화를 나누고자

이 식당을 연 사람은

존 루빈 : 미국의 카네기멜론
대학교 사회학과 교수

돈 월레스키 : 미술 작가

존 루빈과

돈 월레스키.

우리는 사람들이
미디어에서 말하는 소식이 아닌
직접 살았던 사람들의 이야기를 통해
이 나라들을 만나 보길 원합니다.

우리는 음식이
그 역할을 할 수 있다고 생각합니다.

자, 이제 다 함께 식사를 합시다.
보통 훌륭한 대화는
저녁 식탁에서
서로 음식을 나눠 먹으면서 이뤄지니까요.

_(컨플릭트 키친)

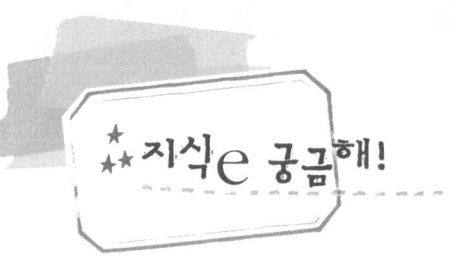

컨플릭트 키친의 시작

컨플릭트 키친(Conflict Kitchen)은 존 루빈과 돈 월레스키 등 2명의 예술가에 의해 탄생했어요. 루빈은 사회학과 교수이자 사회적 갈등을 예술로 풀기 위해 노력하는 예술가였어요. 월레스키는 사람들이 모르고 있는 사실을 새롭게 알고 공유하기를 원하고, 잘 알지 못하면서도 품고 있는 분노나 미움을 예술로 없애기를 바라는 예술가였어요. 이 두 사람이 힘을 모아 2010년에 컨플릭트 키친을 만들었어요. 주로 미국과 적대 관계에 있는 나라들의 음식을 팔면서 이 나라들에 대해 사람들이 알고 있는 것 외의 다른 면들, 예를 들어 음식이나 생활 습관, 풍속 등을 소개하는 거예요. 컨플릭트 키친은 음식을 파는 식당이면서 문화를 소개하는 하나의 예술 프로젝트예요. 이런 것을 소셜 아트, 즉 사회적 예술이라고 하지요.

편견을 깨뜨리려는 컨플릭트 키친

존 루빈과 돈 월레스키는 왜 컨플릭트 키친을 열었을까요? 사람들은 보통 한 나라나 사람에 대해 대표적인 이미지를 알게 되면 편견을 갖게 돼요. 예를 들어 처음 본 아이가 예전에 태권도 대회에서 1등을 했다고 하면 그 아이가 어떤 성격을 가졌고, 어떤 것을 좋아하고, 어떤 음식을 잘 먹는지 관심을 두지 않고, 무조건 힘이 세거나 강한 아이라고 생각할 거예요. 사실 그 아이는 시를 좋아하고, 그림 그리기를 좋아하고, 태권도 외에 발레를 잘할지도 몰라요. 하지만 그 사실보다 '태권도 대회에서 1등 한 아이'라는 이미지로만 대할 수 있어요. 루빈과 월레스키는 그것이 옳지 않다고 생각했어요. 그 아이가 다른 어떤 면을 가졌는지 알아야 한다는 거예요. 그래야 그 아이를 제대로 알고 이해하게 된다는 거지요.

루빈과 윌레스키가 소개하는 나라들도 마찬가지예요. 그들은 사람들이 쿠바와 베네수엘라가 사회주의 국가라는 것만 알고 그 외의 것은 잘 모르고 있다는 사실을 지적했어요. 그리고 그 나라들에 대해 다른 여러 사항을 알아야 그들을 제대로 아는 거라고 생각했어요. 그래서 루빈과 윌레스키는 컨플릭트 식당을 열었고, 식당을 통해 사람들이 잘 몰랐던 북한, 쿠바, 이란, 베네수엘라, 아프가니스탄을 소개하고 있어요. 결국 그들이 원하는 것은 사람들이 서로를 편견 없이 바라보고, 이해하고, 어울리는 것이랍니다.

컨플릭트 키친의 특별한 점

컨플릭트 키친은 독특한 점이 많아요. 첫 번째는 포장지예요. 컨플릭트 키친은 테이크아웃 식당인데 음식을 포장해 주는 포장지가 매우 특별해요. 사진과 글이 가득한 포장지에는 음식을 팔며 소개하는 나라의 정보들이 적혀 있어요. 우리가 흔히 알고 있거나 방송이나 신문에서 소개하는 내용이 아니라 그곳에서 살았던 사람들이 직접 들려주는 이야기예요. 북한 음식을 담은 포장지에는 북한에서 살다 한국이나 다른 나라로 탈출한 사람들의 실화가 담겨 있어요. 그들이 북한에서 어떻게 살았는지, 한국에서의 생활은 어떤지 등 실제적이고 생생한 이야기들이에요.

두 번째는 직원들이에요. 이곳의 직원들은 하는 일이 많아요. 먼저, 특별한 포장지를 만들기 위해 공부를 많이 해요. 만약 북한 식당을 차린다면 북한 출신의 사람들을 만나 대화를 나누어요. 북한의 생활과 문화, 정치, 경제 등을 배우고 나서 함께 메뉴를 정하고, 장을 보고, 음식을 만들며 북한 음식 만드는 방법을 전수 받지요. 그 과정에서 북한을 이해하고 북한의 새로운 면을 많이 알게 돼요. 그리고 식당 문을 열면 직원들은 음식을 파는 일뿐만 아니라 손님들에게 북한을 소개하고, 북한에 대해 함께 토론을 해요. 그래서 이 식당에서 오고가는 대화는 일반 다른 식당에서 나누는 대화와 아주 많이 다르답니다.

컨플릭트 키친에서 소개한 북한

컨플릭트 키친은 북한을 소개할 때 '대립 주방'이라는 간판으로 문을 열었어요. 사실 북한은 우리나라뿐 아니라 세계의 많은 나라와 대립 관계에 있다고 할 수 있으니까요.

대립 주방의 안과 밖은 마치 우리나라에서 흔히 볼 수 있는 시장통의 식당 같아요. 이곳에서 파는 메뉴는 해물파전, 오이무침, 만둣국, 냉면, 비빔밥, 떡볶이, 된장찌개 등이에요.

그리고 직원들은 남북한의 대립과 갈등, 이산가족이나 통일 등에 대해 이야기했어요. 북한의 정식 명칭은 조선민주주의인민공화국이며, 인구는 현재 2470만 명 정도로 추측된다고 소개했지요.

컨플릭트 키친에서 소개한 쿠바

쿠바는 사회주의 국가예요. 전 세계에 사회주의 국가는 얼마 남지 않았지요. 쿠바는 미국과 남아메리카 대륙 사이에 있어요. 오랫동안 에스파냐의 식민지였기 때문에 에스파냐계 사람들이 많고, 공식 언어도 에스파냐 어예요. 쿠바 사람들은 공동체 의식과 더불어 사는 것을 중요하게 여겨요. 남을 돕는 데도 발 벗고 나서기 때문에 여행하기에 안전한 곳이지요.

쿠바는 에스파냐계 문화와 아프리카계 문화가 섞여 아주 독특한 문화를 이루고 있어요. 쿠바의 음악과 춤은 특히 유명하지요. 쿠바 사람들은 누구나 음악을 즐기며 살아요. 쿠바에는 석유와 천연가스가 부족해서 대중교통이 발달하지 않았어요. 그래서 나라에서 자동차 함께 타기를 적극 권하고 있지요. 반면에 의료와 교육은 정부에서 완전 무상으로 제공해요. 또 의료 기술이 뛰어나서 치료가 어려운 병에 걸린 외국 사람들이 쿠바에 찾아올 정도예요. 야구를 잘하고, 유기농 먹거리로도 유명한 나라지요.

컨플릭트 키친에서 소개한 이란

이란의 수도는 테헤란이에요. 이란은 서남아시아에 자리하고 있는데 오랜 옛날에는 '페르시아'라고 불렸지요. 이란은 '아리아 인의 나라'라는 뜻이에요. 고대 페르시아 제국은 서남아시아에서부터 유럽, 아프리카까지 정복했던 대제국으로 화려한 문화와 예술이 발달한 곳이었어요. 하지만 이란은 외국의 끊임없는 침략을 받았고 결국 이슬람교도에게 망해 이슬람 국가로 변신했어요. 이란 사람 대부분이 이슬람교를 믿고, 이슬람 문화와 생활 습관을 가지고 살아가고 있어요. 여자들은 히잡을 써야 하고, 신체를 드러내면 안 돼요. 남녀 구분 없이 돼지고기와 술을 금하지요. 곳곳에 이슬람교 성전인 모스크가 있지만 고대 페르시아 시절의 유적도 많이 남아 있는 문화 유적의 나라예요. 대표 음식으로는 바르바리라는 빵이 있고, 양고기를 꼬치에 꿰어서 굽는 케밥, 견과류가 들어간 전통 사탕인 갸즈가 있어요. 이란에서는 손님이 찾아오면 보통 사탕과 차를 대접한대요.

컨플릭트 키친에서 소개한 베네수엘라

베네수엘라 역시 사회주의 국가예요. 베네수엘라는 에스파냐 어로 '작은 베네치아'라는 뜻이지요. 베네수엘라는 석유와 천연가스 등 천연자원이 풍부하여 그 자원으로 먹고사는 나라예요. 베네수엘라는 문화적으로 미국의 영향을 많이 받았어요. 수도는 카라카스인데 이곳에는 수준 높은 박물관과 오케스트라 등이 많이 있대요.

12 내 친구를 이해하는 〈오늘의 급식〉

★ 다름을 인정하고 서로를 존중하는 삶 배우기

다른 나라에서 온 아이들은 생활 문화가 달라 힘들어 하고,
같은 반 아이들은 외모와 행동이 다른 그들을 이상한 눈으로 바라본다.
하지만 서로를 이해하게 되면 한순간에 친구가 되는 아이들.
다름을 인정하고 배려를 배우는 아이들의 이야기를 들어 보자.

점심시간,

모두가 함께 먹는 급식

모두가 당연히 먹는 음식

하지만 여기,

급식을 앞에 놓고

먹지 못하고

어쩔 줄 모르는 친구가 있다.

맛 때문이 아니라

전혀 낯선 음식이라서

당황하는 친구.

 처음 먹어 보는 음식이 입에 전혀 맞지 않으면 어떨까요?

안산의 어느 초등학교
점심시간

좁쌀밥, 동탯국, 장조림, 김치가
나온 날
한 아이가 울상을 지으며 말했다

"선생님, 저는 생선국이 무서워요."

바다가 없어서 생선이 귀한
몽골에서 온 사르나이는
큰 가시와 비늘이 반짝이는
동탯국을 보고 깜짝 놀랐다.

짜장밥이 나온 날
짜장을 처음 본
우즈베키스탄과 러시아에서 온 아이들은
놀라 외쳤다.

"으악! 까만 소스에 비빈 쌀밥이
까만 애벌레처럼 보여요."

다른 나라에서 와서
한국의 초·중·고등 학생이 된 아이들
5만 5700여 명.
_(교육부, 2013년 4월)

내 짝은 교과서에 피부가 까만 아이가 나오면
이렇게 말한다.
"야, 쏘레 나왔다! 너랑 똑같은 애다!"
그렇게 부르지 말라고 해도 계속 놀리고 때린다.
_(네팔에서 온 쏘레)

아이들의 마음속에 놓인
'다름'에 대한
단단한 마음의 벽.

하지만
그 벽은 무너지기도 쉽다.

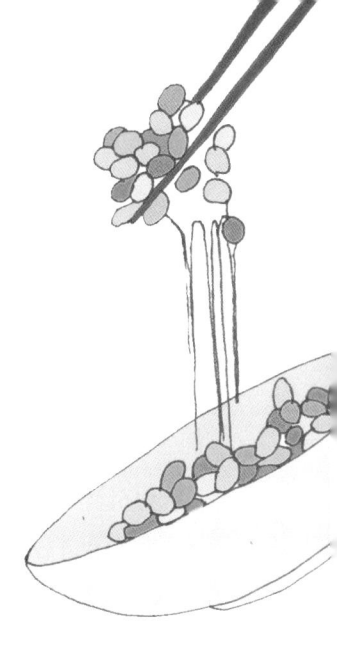

어떻게?

어떤 아이는 문화 체험 시간에
일본인 아이가 가져온
낫토를 먹어 보고 변했다.

실처럼 늘어지고 밍밍해서 낫토 먹기가 정말 힘들었다.
나는 낫토 한 번 먹는 것도 힘든데
치즈처럼 기름진 음식을 즐겨 먹는 에콰도르에서 온 조앤은
그동안 어떻게 된장국을 먹었을까?
정말 대단하다.

_(조앤의 친구 정태)

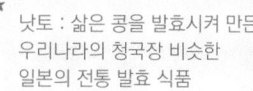
낫토 : 삶은 콩을 발효시켜 만든
우리나라의 청국장 비슷한
일본의 전통 발효 식품

또 학교에서

소고기를 먹지 않는
힌두교 아이들에게는 돈가스버거

돼지고기를 먹지 않는
이슬람교 아이들에게는 치킨버거

해산물을 못 먹는
몽골과 아프리카 아이들에게는
불고기버거를

준비해 주는 것을
보면서 자연스럽게 배운다.

이렇게
문화가 다른 친구들이
존중 받는 것을
경험하고 배운 아이들은

소풍날
이슬람교 친구를 위해
김밥 속 햄을 쏙쏙 빼 주었다.

아이들이

마음의 벽을 허물고

배운

다른 문화와

다른 사람을

이해하고 받아들이는

다문화 감수성.

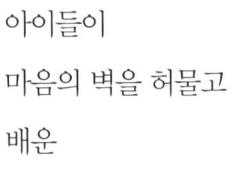

다문화 : 한 사회 안에 여러 민족이나
여러 국가의 문화가 뒤섞여 있는 것을
이르는 말

감수성 : 외부 세계의 자극을
받아들이고 느끼는 성질

다문화 교육이
소수를 위한 것이라는 생각은
최악의 편견입니다.
다문화 교육은 소외된 사람들을 위한
복지 프로그램이 아니라
상호이해를 위한 모두의 교육입니다.

_(뱅크스, 교육학자)

★
★★ 편견 : 공정하지 못하고
한쪽으로 치우친 생각

다문화 교육은
다양성을 인정하고
존중하는 방법을 배우는
우리 모두에게 꼭 필요한 교육이다.

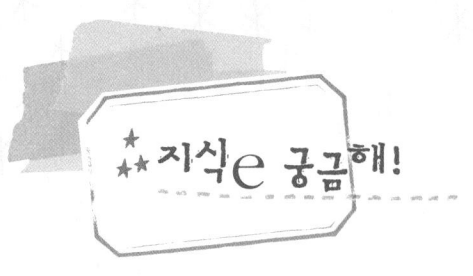
다문화 가정에 대하여

다문화 가정이란 외국에서 우리나라로 이민을 왔거나 일하러 온 가정, 국제결혼을 통해서 이루어진 가정을 말해요. 다문화 인구는 2007년에 100만 명을 넘었고 계속 늘어나고 있어요. 다문  화 가정에는 여러 가지 어려움이 있어요. 언어가 다르기 때문에 주변 사람들과 어울리기가 쉽지 않고, 아이들은 학교 공부를 따라가기 힘들어 해요. 또 먹는 것, 입는 것 등 문화가 달라 난처하고 힘든 상황에 빠질 때가 많아요. 생각이나 가치관이 달라 서로 부딪치는 문제도 있지요. 뿐만 아니라 사람들의 눈길도 이들을 힘들게 해요. 뭔가 다르다는 것을 느끼는 순간 빤히 쳐다보거나, 함께 어울리려 하지 않거나 혹은 지나친 관심을 보이는 사람들이 있기 때문이지요.

특히 우리나라 사람들은 다름에 대해 쉽게 받아들이지 못하는 면이 있어요. 오랜 세월 단일 민족으로 살아왔기 때문이라고 해요. 그 덕분에 민족성과 공동체 의식이 강하고 단합이 잘되지만, 반대로 우리와 다른 사람이나 다른 문화에 대해서는 마음을 쉽게 열지 못하는 거지요. 물론 처음부터 이민자들로 이루어진 나라에도 차별과 편견이 있어요. 우리뿐만 아니라 세계적으로 다름에 대해 인정하고 배려하는 문화가 더 널리 퍼져야 해요. 세계는 이미 글로벌화되어 인적·물질적·문화적으로 긴밀하게 주고받는 하나의 공동체가 되었으니까요. 고국을 떠나 외국에서 살아가는 사람들이 많아졌고 앞으로 점점 더 늘어날 거예요.

외국에서 온 아이에게는 이렇게

주변에 다문화 가정의 아이가 있다면 먼저 말을 걸어 보세요. 겉모습은 조금 다르지만 대화를 해 보면 컴퓨터 좋아하고 놀기 좋아하는, 나와 다르지 않은 아이라는 것을 알게 될 거예요. 좋아하는 것, 싫어하는 것, 잘하고 못하는 것을 알게 되면 금세 친해질 거예요. 같은 반일 경우 알림장은 잘 썼는지, 숙제와 준비물은 잘 알고 있는지 물어봐 주세요. 가끔 집에 초대해서 같이 놀며 일상생활을 보여 주는 것도 좋아요. 그리고 친구들과 놀 때에도 그 아이를 초대해 함께 놀아 보세요. 누군가 한 사람이 문을 열어 주면 자연스럽게 여러 아이들과 어울릴 수 있어요. 여러분이 그 누군가가 되어 보세요.

인도의 아주 특별한 버거킹

미국의 대형 패스트푸드 업체인 버거킹의 햄버거는 소고기를 다져서 넣은 '와퍼' 시리즈가 유명해요. 그런데 버거킹이 소고기를 먹지 않는 힌두교 국가인 인도에 가게를 열었어요. 사람들은 인도의 수도 뉴델리에 문을 연 버거킹이 인도 사람들의 핍박을 받거나 곧 문을 닫을 것이라고 예측했어요. 그런데 버거킹은 특별한 메뉴로 인도 사람들의 마음을 사로잡았어요. 그것은 '소고기 없는 와퍼'를 만들어 낸 덕분이에요. 버거킹은 기존의 소고기 와퍼 대신 양고기와 닭고기를 넣은 와퍼를 만들었고, 인도뿐 아니라 전 세계에 화제가 되었지요.
버거킹의 판매 전략은 그 나라의 문화를 이해하고 존중하는 마음에서 시작된 거예요. 자신의 것만 고집했다면 버거킹은 인도에서 성공할 수 없었겠지요. 또 소고기를 먹지 않는 인도에서는 햄버거 가게가 성공할 수 없을 거라는 편견을 버리고 새로운 메뉴로 도전했기 때문에 이런 성과를 거둘 수 있었던 거예요. '저 아이는 틀림없이 이상할 거야.'라는 편견을 버리고 나와 다른 아이에게 스스럼없이 다가가는 멋진 친구가 되어 보세요.

13 너에게 모두 말하고 싶어, 〈엘리자〉

★ 좋은 대화 방법은 맞장구치며 성의 있게 질문하기

서로 마음을 터놓고 대화를 하고 싶을 때
상대방의 이야기를 어떤 태도로 들어 주어야 할까?
사람들에게 인기가 있던 미국의 컴퓨터 대화 프로그램인
'엘리자'의 이야기를 통해 그 방법을 배워 보자.

모두 그녀와 대화하고 싶어 했다.

"저 좋아하는 사람이 생겼어요.
그가 날 싫어하면 어쩌죠?"
"그가 왜 당신을 싫어할 거라고 생각하나요?"

"중요한 시험을 망쳐서 너무 속상해요."
"시험을 망쳐서 많이 우울한가요?"

"엄마가 많이 아파요."
"엄마에 대해 더 말해 줄래요?"

연애 상담은 물론 때로는 아픈 상처까지
그녀에게 털어놓는 사람들.

그녀는 누구일까?

생각해보기 고민이 생겼을 때 누구에게 가장 먼저 말하고 싶나요?

그러나

"그들은 그녀에게 속고 있는 것이다."

사람들이 대화를 하고 있는

그녀는

요제프 바이첸바움(1923~2008) : 독일
태생의 유태인계 미국 컴퓨터 공학자

1966년 미국

매사추세츠 공과대학교(MIT) 컴퓨터 공학과 교수

요제프 바이첸바움이 탄생시킨

최초의 컴퓨터 대화 프로그램

'엘리자(ELIZA)'.

"남자 친구 때문에 고민이에요."

이런 고민을 털어놓는 사람에게
엘리자가 할 수 있는 일은

맞장구쳐 주기
"당신의 남자 친구에 대해 말해 줄래요?"
"남자들은 모두 똑같아요."
"재미있네요. 더 얘기해 주세요."

혹은 끊임없이 질문해 주기
"남자 친구가 화를 냈나요?"
"좀 더 자세히 이야기해 줄 수 있어요?"

모두들 그녀와 이야기하고 싶어 했다.

"엘리자는 특별해요."

"그녀에게만은 무엇이든 말할 수 있어요."

"그녀와 대화하고 나면 마음이 홀가분해져요."

"엘리자는 마치 나를 이해하는 것만 같아요."

사람들은 엘리자를 사용하는 것을 넘어
그녀와 교감하기 시작했다.

교감 : 서로 접촉하여 감정이 따라
움직이는 느낌. 감정을 나누는 것

"우리 가족이 화목했으면 좋겠어요."

"그 마음 알아요."

"친구들과 사이좋게 지내고 싶어요."

"친구의 이야기를 계속 들려주세요."

"내가 잘 해낼 수 있을까요?"

"그럼요."

컴퓨터 대화 프로그램이었던 엘리자는

어떻게 사람들의 소중한
대화 상대가 되었을까?

사람들은 속은 게 아니었다.

그들은 엘리자가 사람이 아니고,

문제를 해결해 줄 수 없다는 것을 알았지만,

그들의 마음속 빈 곳을

엘리자가 채워 주고 있었던 것이다.

(셰리 터클, 사회 심리학자)

마음을 털어놓고

위안을 받을 수 있도록

소통해 준

소통 : 막히지 않고 잘 통하는 것,
뜻이 서로 통해서 오해가 없는 것

엘리자의 비결은

들어 주기와 맞장구쳐 주기.

친구나 가족의 말에
이렇게 맞장구쳐 보자.

그래그래.
말해 봐.
알았어.
이해해.
잘했어.

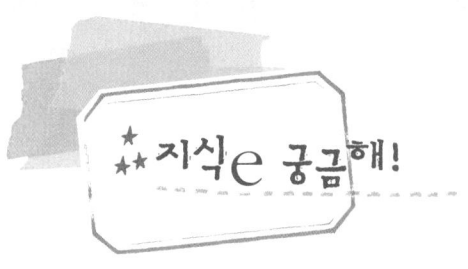

컴퓨터 대화 프로그램, '엘리자'

엘리자는 무척 단순한 컴퓨터 프로그램이에요. 원래 심리 치료사의 역할을 대신하는 프로그램으로 개발했으며, 상담을 원하는 환자가 말하는 것을 그대로 되받아 반복해서 대답하도록 되어 있어요. 예를 들어 "난 우울해."라고 말하면 "우울하다고? 좀 더 얘기해 볼래?"와 같은 방식이지요. 그런데 이 단순한 대화 프로그램에 대한 사람들의 반응은 아주 좋았어요. 수많은 사람이 엘리자가 반복하는 질문에 자신의 이야기를 숨김없이 털어놓기 시작했고 심지어 비밀까지 낱낱이 고백했어요. 엘리자와 대화를 한 후 사람들은 마음이 편해진 것을 느꼈어요. 엘리자를 사용한 환자들은 자신들의 이야기를 들어 줄 상대가 절실하게 필요했던 거지요. 나중에 일반 사람들에게도 엘리자를 소개하자 폭발적인 인기를 끌었어요.

그 후 사람들은 엘리자처럼 대화하는 로봇을 만들어 내기 시작했어요. 또 대화뿐 아니라 공부를 가르쳐 주거나 비서처럼 일상생활을 관리해 주는 로봇도 등장했어요. 앞으로는 배우자의 역할을 하는 로봇이 등장할 거라고 해요. 로봇이 친구가 되고 배우자가 되는, 공상 영화에서 봤던 그런 장면들이 현실이 되고 있어요. 우리는 컴퓨터 대화 프로그램이나 로봇의 역할에 대해 깊이 생각해 볼 필요가 있어요. 수없이 많은 사람이 함께 살아가고 있는데 왜 로봇을 찾고 컴퓨터 프로그램을 찾게 되었는지 말이에요.

사람들은 왜 엘리자를 찾을까?

사람들은 대화 상대로 왜 컴퓨터 프로그램인 엘리자를 좋아했을까요? 그것은 그들이 상담을 원하는 게 아니라 그냥 말하고 싶었기 때문이에요. 사람은 상대편의 이야기를 들을 때 상황을 판단해요. "안됐지만 너는 옳지 않았어." 혹은 "네 마음은 알겠지만 그렇게 하면 안 돼."라고 자신의 의견을 말하게 되지요. 그런데 이야기하는 사람은 그런 충고보다는 위로를 받고 싶은 거예요. 사실 사람들은 자신의 잘못이나 해야 할 일을 알면서도 두려워서, 힘들어서 피하고 있는 경우가 많으니까요. 그렇기 때문에 충고하지 않고 맞장구치며 들어 주는 컴퓨터 프로그램이나 로봇과의 대화에 빠져들게 되는 거예요.

또 사람들은 자신이 털어놓은 비밀이 남에게 알려지는 것을 원하지 않아요. 비밀을 유지하는 데 로봇이나 컴퓨터 프로그램만큼 완벽한 것은 없어요. 비밀을 발설하지 말라고 프로그래밍 되어 있으면 자신의 의지로 그 프로그램을 깨뜨리지 못해요. 그리고 다른 사람에게 흥미롭게 말할 관심도 아예 없지요.

마지막으로, 엘리자와 같은 컴퓨터 프로그램은 자신이 원하는 시간에 언제든지 대화할 수 있기 때문이에요. 컴퓨터만 켜면 금세 대화가 가능하지요.

외톨이는 싫어! 소통이 필요해

부모와의 대화가 점점 줄어들고 친구들과도 떨어져서 혼자 놀기를 좋아하는 사춘기 아이들이 있어요. 마음을 터놓고 이야기하는 사람 없이 혼자 노는 것이지요. 어디서나 대화할 수 있는 휴대 전화로도 누군가와 전화를 하기보다 인터넷이나 SNS를 통해 다른 사람의 소식을 확인하거나 가상의 인물과 함께 게임에 빠져 노는 것을 좋아해요. 이렇게 사람들과 소통하지 않고 혼자 놀다 보면 외톨이가 되어 버리기도 해요.

사람은 혼자서 살아갈 수 없어요. 마음을 터놓고 이야기하고, 정을 나누며 살아야 행복해요. 엘리자처럼 그냥 들어 주고, 질문해 주는 것을 넘어서 관심을 가져 주고, 함께 공감해 주고, 따뜻한 마음을 느낄 수 있는 사람과 부대끼며 살아야 해요. 정말 외톨이가 되기 전에 가족과 친구와 대화하세요. 또 외톨이가 되어 가는 친구가 있다면 먼저 다가가서 말을 걸어 보세요.

삶에 대한
다른 생각

서로를
지켜 주다

14 반드시 지켜야 할 〈적절한 거리〉

★ 좋은 부모와 좋은 자녀가 되기 위한 적절한 거리

사람들 사이도, 건물들이나 집들 사이도 너무 멀어서도
너무 가까워서도 안 되는 적절한 거리가 있다.
부모와 자녀 사이에도 있어야 할 적절한 거리는,
자녀의 성장에 따라 어떻게 달라져야 하는지 생각해 보자.

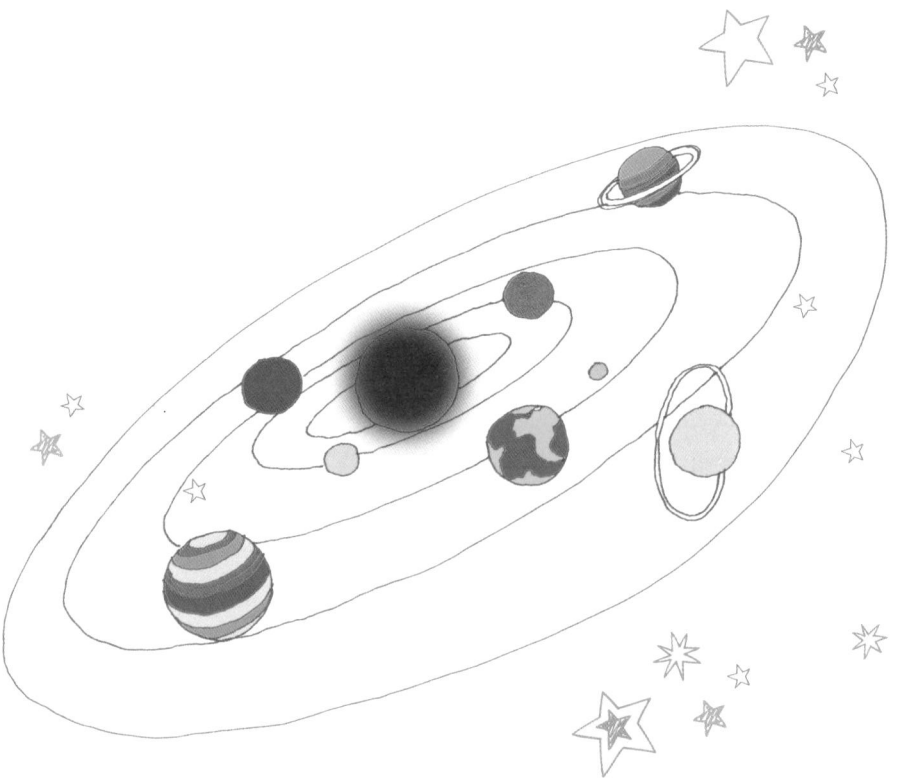

태양과 지구

그 사이의 거리는

약 1억 5000만 km

태양과

너무 가깝지 않기에 모두 증발하지 않고

너무 멀지 않기에 다 얼어 버리지도 않는

지구의 물

태양과 지구의 아주 적절한 거리

1억 5000만 km.

적절한 거리는

또 어디에 필요할까?

 친구 사이에 적절한 거리는 어느 정도일까요?

동물과 동물 사이의 거리

기린 150m

아프리카 버펄로 70m

원숭이 20m

그 거리만 유지하면

공격하지도 피하지도 않으며

서로 안전하고 자유롭다고 느끼는

동물들.

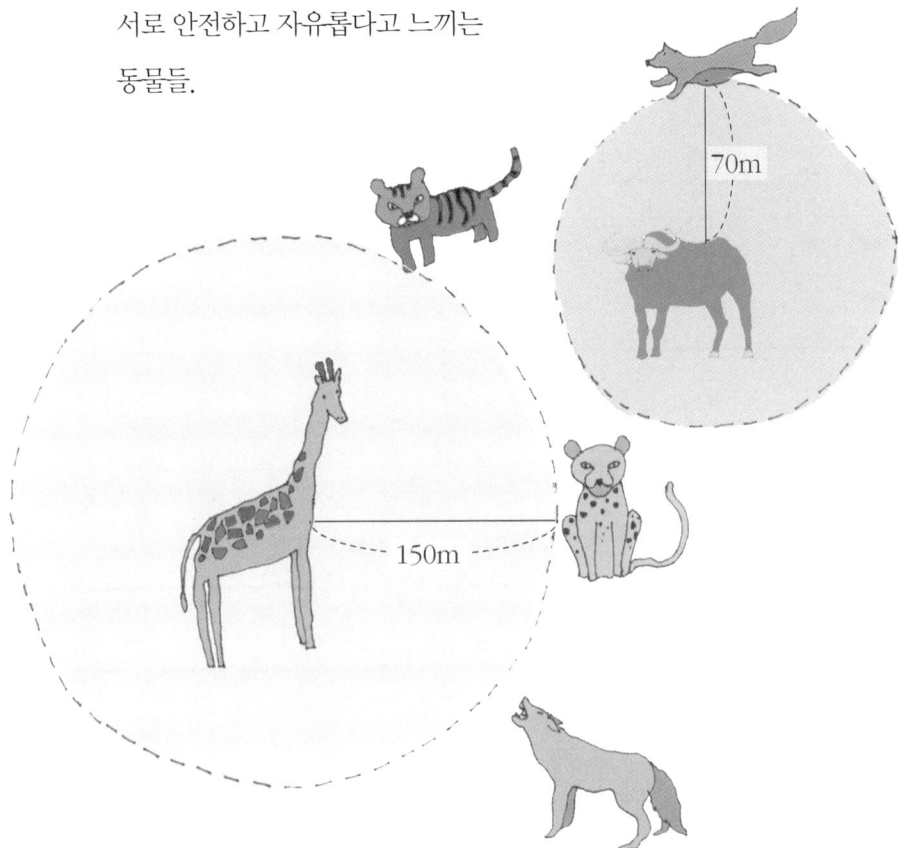

나무와 나무 사이의 거리

자유롭게 가지를 뻗어 나가기 좋은
나무와 나무 사이는 6~8m이다.
_(서울특별시 가로수 조성 및 관리 조례)

적절한 거리를 두고 서 있어야
양팔을 벌리고 잘 자랄 수 있는
도시의 나무들.

집과 집 사이의 거리

도시의 집과 집 사이에도
적절한 거리가 필요하다.

높이 9m 이상의 건물이라면
건물 높이의 2분의 1 이상
서로 떨어져 있어야 한다.
_(건축법 시행령 86조)

그래야 이웃한 사람이
햇빛을 누릴 수 있다.

소통의 거리

무대 위 사람의 표정과 동작을 볼 수 있는

적절한 거리는 약 22m 이내

★
★★ 소통 : 뜻이 서로 통하여
　　 오해가 없음.

그 거리를 유지해야

제대로 대사가 전달되고 소통을 할 수 있다.

부모와 자녀 사이에도
적절한 거리가 있을까?

처음 자녀가 태어났을 때
두 사람의 거리는 0,
거리가 없다.

그러나
자녀가 자라면서
두 사람 사이에 거리가 생기면

자녀의 '성장'에 알맞은
'적절한 거리'를 지키려고 노력해야 한다.

자녀의 성장을 제대로 이끄는 것은
완벽한 엄마(Perfect Mother)가 아니라
심리적으로 충분히 가까우면서도
자녀를 숨 막히게 하지 않는
충분히 좋은(good enough) 엄마이다.
_(도널드 위니콧, 소아과 의사이자 정신 분석가)

부모와 자녀는
적절한 거리를 찾으려는
노력을 통해

충분히 좋고
행복한
관계를 유지할 수 있다.

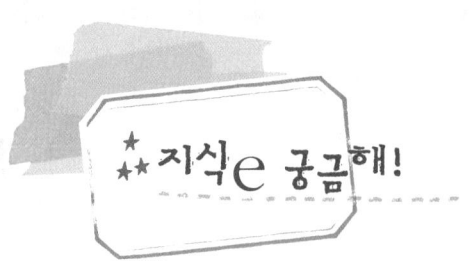

적절한 거리의 중요성

거리에서는 많은 자동차가 달리고 사람들이 걸어 다니는 것을 볼 수 있어요. 그런데 사람들과 자동차들이 서로 일정한 간격을 지키지 않으면 어떻게 될까요? 부딪치고, 다치고, 감정이 상하는 등 수많은 사고가 발생하겠지요? 앞차와 뒤차는 일정한 거리를 유지하며 달려야 해요. 그렇지 않으면 앞차가 급히 멈출 때 뒤차와 부딪치게 돼요. 일정하게 유지해야 하는 이 거리를 안전거리라고 해요. 그런데 자동차에만 안전거리가 있는 게 아니에요. 사람과 사람 사이, 동물과 동물 사이, 행성과 행성 사이에도 안전거리가 필요해요.

지구에 사람은 점점 늘어나고 자원은 계속 고갈되고 있어요. 그래서 우주 이민이나 자원 개발을 위해 미국을 비롯한 러시아, 중국 등에서 생명체가 살 수 있는 행성이 있는지 탐사하고 있어요. 탐사에서 가장 중요하게 알아보는 것은 물의 존재예요. 물은 생명체가 살아가는 데 반드시 필요하기 때문이지요. 하지만 현재까지 확인된 바로는 태양계의 행성 8개 중에 액체 상태의 물이 있는 곳은 지구뿐이에요. 왜 그럴까요? 그것은 지구와 태양의 거리 때문이에요. 지구와 태양의 거리가 조금만 더 가까웠어도 지구의 기온이 올라가 물이 모두 증발하고, 반대로 조금만 멀리 떨어졌어도 모든 물이 얼었을 거라고 해요. 지구와 태양의 거리는 지구에 생명체가 살 수 있는 가장 적절한 안전거리예요.

사람과 사람 사이에도 안전거리가 필요해요. 친구 사이에 너무 가까이 다가오면 부담스러워 하고, 갑자기 거리를 두면 마음이 쓰이는 것도 이 때문이에요. 동물들도 숲속에서 다른 동물이 가까이 와서 잡아먹을까 봐 끊임없이 경계를 한대요. 그런데 동물마다 안전하다고 생각하는 거리는 다르답니다.

고슴도치 이야기

추운 겨울, 고슴도치 2마리가 서로 꼭 안고 체
온을 나누며 추위를 견뎌 보기로 했어요. 그
런데 막상 둘이 껴안으려고 하니까 서로의 가
시가 아프게 찔러 댔어요. 고슴도치는 고민에 빠졌어요. 떨어져 있자니 너무
춥고, 붙어 있자니 따갑고……. 어떡해야 할까요? 맞아요. 서로 찔리지 않고,
얼어 죽지 않을 적절한 거리를 찾아야 해요.

이 이야기는 독일의 유명한 철학자인 쇼펜하우어가 자신의 책에서 소개한 내
용이에요. 이는 사람 사이에도 적절한 거리가 있음을 생각하게 해요. 고슴도
치가 너무 가까이 있으면 날카로운 가시로 서로를 찌르듯이, 사람 사이도 지
나치게 거리가 가까우면 서로에게 상처를 줄 수 있어요. 부모와 자녀의 사이,
친구 사이도 마찬가지예요. 아주 밀접하게 지내야 하지만 어느 정도의 거리는
두어야 해요. 그렇지 않으면 "왜 내 맘과 같지 않을까?", "왜 이렇게 해 주지
않지?" 하는 바람으로 서로의 마음이 다치게 돼요. 또 거리를 두고 멀어지면
고슴도치가 얼어 죽듯이, 사람 사이도 너무 멀어지면 관계가 끊어지게 돼요.

가까운 사이일수록 예의가 필요해요

사람들은 가족이니까, 친하니까, 가까운 사이이니까 이해해 줄 거라고 무의식
적으로 생각하면서 자신도 모르게 가까운 사람에게 함부로 대하는 경우가 있
어요. 이런 행동은 절대 안 돼요. 가까운 사이일수록 예의를 꼭 지켜야 해요.
친하다고 말을 함부로 하거나 약속을 쉽게 어기거나 예의 없이 대하면 그 관
계는 깨지기 쉬워요. 부모에게, 동생이나 언니, 오빠에게, 또는 친구에게 어떻
게 행동하고 있는지 돌아보세요. 그리고 소중한 가족과 친구들에게 예의를 잘
지켜 모두를 행복하게 해 주는 멋진 사람이 되세요.

나를 죽이는
〈욕의 반격〉

★ 욕을 하면 자신의 뇌가 먼저 상처 받는다

습관적으로, 남들도 하니까, 스트레스를 풀기 위해,
누군가를 무시하거나 비웃기 위해 하는 '욕'.
그 욕은 '남'을 해롭게 하는 것보다 '나'를 더 해롭게 만든다고 한다.
무심코 하는 욕이 우리에게 어떤 반격을 하는지 알아보자.

단어에 대한 사람들의 반응 실험

"총 12개의 단어를 들려줄 겁니다.

들려주는 단어들은

긍정적인 단어,

부정적인 단어,

금기어,

중립적인 단어입니다.

잘 듣고 기억나는 단어를 말해 주세요."

금기어 : 마음에 꺼려서 하지
않거나 피하는 말

들려준 단어

'자유, 이기다, 청춘

잔인함, 퇴화하다, 우울

*같다, 지*하다, *발

항만, 주변, 걸다'

사람들은
어떤 단어를 가장 잘 기억할까?

 위의 단어들을 읽은 뒤 기억나는 단어를 말해 볼까요?

단어를 잘 기억하려고 집중하다가
욕이 나오는 순간
앞 단어를 잊어버렸다.
_(실험 참가자)

욕은
다른 단어보다 4배나 강하게
기억되며

분노, 공포 등을 느끼게 하는
'감정의 뇌'를
강하게 자극해서

'이성의 뇌'의
활동을 막는다.

뇌를 장악하는
'감정의 뇌'

★
★★ 장악하다 : 무엇을 마음대로
할 수 없게 휘어잡다.

강한 욕설을 듣는 순간
통제력을 잃어버리는
'이성의 뇌'

그리고

상처 받는 뇌.

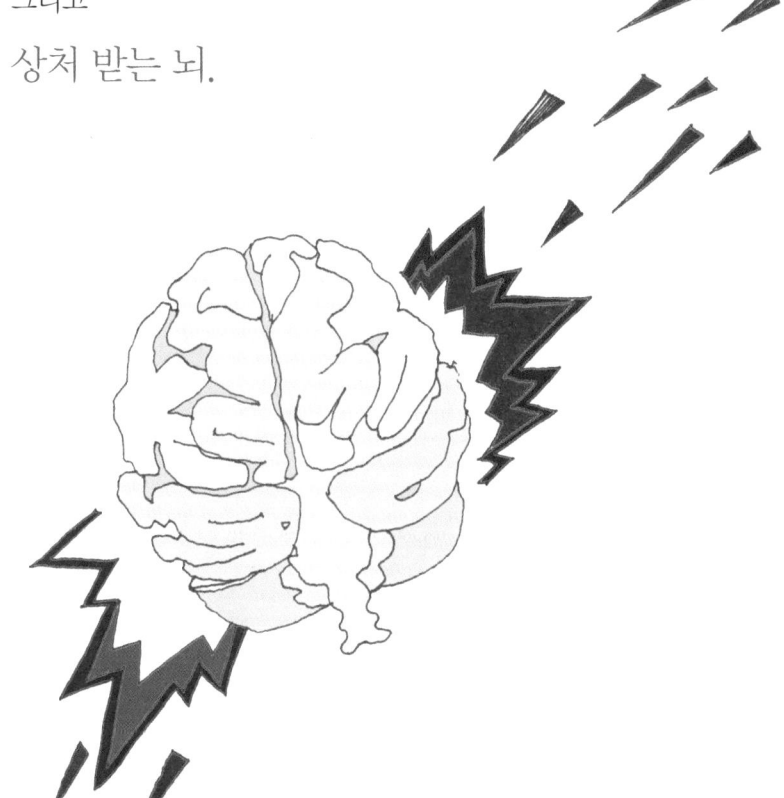

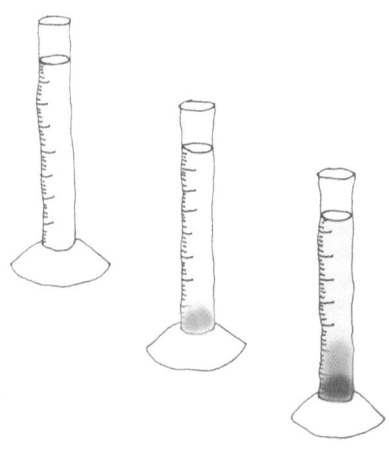

욕을 하는 순간
침은 '분노의 침전물'을
만들어 낸다.

침은
일상적인 말을 할 때에는
무색의 침전물

사랑한다는 말을 할 때에는
분홍의 침전물

화를 내며 욕을 할 때에는
갈색의 침전물을 만든다.

그리하여 갈색의 침전물을 모아
쥐에게 주사했더니
쥐는 곧 죽음을 맞았다.

욕을 하는 이유는 무엇일까?

누군가를 무시하거나 비웃기 위해 4.6%

남들이 만만하게 볼까 봐 8.2%

스트레스를 풀기 위해 17%

남들도 하니까 18.2%

그리고

습관적으로

25.7%

욕설을 하는 대상

친구 70.3%
아무한테나 5.2%

누군가를
공격하기 위해 하는 욕

그러나 말하는 동시에 가장 먼저 듣고,
글로 쓰는 동시에 가장 먼저 읽어

스스로
자신의 뇌에 상처를 입히는
욕.

욕을 한다고 응답한
초·중·고등 학교 학생은
73%.

초·중·고등 학교 학생의 73%가
자신에게 욕을 던지고 있다.

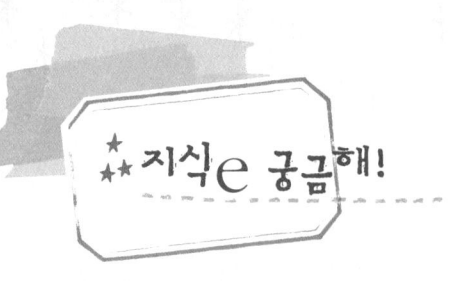

무서운 욕의 의미

욕을 들을 때 그 말이 정확하게 무슨 뜻을 가진 말인지 생각해 본 적 있나요? 2011년 한국교육개발원의 조사에 따르면, 10대 청소년의 72.2%가 그 욕이 무슨 뜻인지 모르고 사용하고 있다고 했어요. 그런데 청소년들이 무심코 사용하는 욕의 뜻은 실로 어마어마하게 끔찍하고 무서운 것이 많아요. 욕에 나오는 단어들은 주로 질병에 대한 말, 생김새를 비꼬거나 낮춰서 하는 말, 가족에 대한 비난, 신체 중에서도 금기시하는 특정 부위를 웃음거리 삼아 말하고 있어요. 그 뜻을 안다면 절대 입에 담지도 못할 말을 아무렇지도 않게 사용하고 있는 거예요. 욕은 그런 말들은 듣는 사람도, 하는 사람도 병들게 해요. 이제부터는 욕의 위험성을 알고 욕을 절대로 하지 않도록 해야 해요.

말의 효과

한 다큐멘터리 프로그램에서 말의 효과를 알아보기 위해 독특한 실험을 한 적이 있어요. 작고 투명한 통 2개에 밥을 담아 한 통에는 칭찬과 기분 좋은 말을 들려주고, 다른 한 통에는 기분이 나쁠 때 스트레스를 푸는 말을 반복해서 들려주도록 했어요. 며칠 후, 놀라운 결과가 나타났어요. 처음에는 똑같은 밥이었는데 기분 나쁜 말을 들려준 밥은 시커먼 곰팡이가 슬며 고약한 냄새가 났고, 기분 좋고 듣기 좋은 말을 들려준 밥에는 좋은 곰팡이가 피고 발효가 되었어요.

그리고 나쁜 말을 들은 덩굴 식물이 이를 피해 밖으로 나가려고 창문 쪽으로 뻗어 나갔다는 이야기도 있고, 또 눈 결정에 나쁜 말을 계속 들려주었더니 악

마의 형상으로 변해 갔다는 이야기도 있어요. 이렇듯 좋은 말은 우리를 행복하고 기분 좋게 만들어 주고, 나쁜 말은 우리의 머리와 가슴에 곰팡이가 슬게 만들어요.

나쁜 말 중에서도 아주 심한 욕은 우리의 뇌를 병들게 해요. 욕을 할 때의 뇌는 폭력을 휘두를 때의 뇌와 비슷한 상태가 된대요. 그러므로 일상적으로 자주 욕을 하는 사람은 시도 때도 없이 뇌에 폭력을 쓰고 있는 것과 같아요. 날마다 싸우는 사람의 뇌는 어떨까요? 무척 피곤하고, 긴장되어 있고, 분노로 가득 차 있겠지요? 욕을 한다는 것은 그만큼 뇌를 힘들게 하고 있는 거예요. 뇌가 힘든 채로 시간이 오래 흐르면 분노 조절을 하지 못해 폭력과 우울증에 빠지고 나중에는 심각한 사고를 일으킬 수도 있어요. 욕이 일상어가 되어서는 절대 안 돼요.

우리의 입에서 욕을 버리자!

욕이 나쁘다는 것은 이미 모두 잘 알고 있어요. 그렇다면 버려야겠지요? 말의 중요성과 욕의 심각성에 대한 문제가 불거지면서 많은 학교에서 욕 안 하기 캠페인도 벌이고 있어요. 혹시 자신이 습관적으로 욕을 하고 있다면 이렇게 해 보세요.

먼저 자주 사용하는 욕을 적어 보세요. 자신이 무의식적으로 어떤 욕을 얼마나 사용하고 있는지 파악하고 스스로 깜짝 놀라 당장 멈출 수도 있어요. 두 번째로 욕을 다른 말로 바꾸는 연습을 해 보세요. 욕으로 표현하던 자신의 감정을 일반적인 언어로 표현하는 훈련을 하는 거예요. 예를 들어 '짱나'라는 말은 '기분이 좋지 않아'로 바꾸는 거지요. 그리고 가장 중요한 것은 욕을 하지 않으려고 의식하는 거예요. 그러면 순간순간 무의식적으로 흘러나오는 욕을 의식적으로 막아 낼 수 있어요. 습관은 한번 굳어 버리면 고치기 힘들어요. 지금부터라도 절대 욕을 입에 담지 말고 아름다운 언어를 사용해야 오늘도, 미래도 밝아질 수 있답니다.

16 내 삶의 영화, 〈해피엔딩을 꿈꾸며〉

★ 청소년기는 부모로부터 독립을 준비하는 시기

자기 일을 스스로 하지 못해 부모로부터 독립하지 못하는 아이.
그런 자녀 곁을 맴돌며 성인이 된 후까지도 계속 챙겨 주는 엄마.
다음 이야기의 영화 속 아이와 엄마의 변화를 살펴보며
우리는 청소년기를 어떻게 보내야 할지 생각해 보자.

한 편의 영화가 시작된다.

주인공
엄마와 아이

배경
우리의 생활 속 모든 공간
(집, 학교, 학원, 거의 모든 곳)

내용
자기 일을 스스로 하지 않는 아이의 미래

이 영화는
어떤 이야기일까?
과연, 어떤 결말을 가지고 있을까?

 나와 엄마가 주인공인 영화라면 어떤 줄거리가 될까?

영화 속의 아이는

12세 청소년기.

만 19세 미만

_(청소년 보호법)

9세 이상 24세 이하

_(청소년 기본법)

법에 명시되어 있는

바로 그, 청소년기

★
★★ 명시 : 분명하게 드러내 보임.

청소년기에 해결해야 할

과제 중 하나는

'부모와 다른 어른으로부터의 정서적 독립'이다.

_(로버트 하비거스트, 발달 심리학자)

아이가 더 어릴 적에는
아이의 모든 행동에
엄마의 보살핌이 따른다.

아침에 일어나는 것부터
식사, 빨래, 등·하교, 숙제, 공부, 학원
심지어 친구 관계까지.

아이 역시 모든 일에
엄마의 손길이 닿아야 안심을 한다.

엄마에게 아이는
하염없이 보호하고
챙겨 주어야 하는 대상

아이에게 엄마는
자신을 지켜 주고 이끌어 주는 존재.

하지만 아이는

자라면서 조금씩 조금씩

자신에게 주어진 일들을 스스로 해 나가야 한다.

성인이 되면 꼭 이루어야 할

멋진 자립을 위해.

 자립 : 남에게 의지하지 않고
스스로의 힘으로 섬.

하지만 영화 속의 아이는

자신의 일을 스스로 하지 못하고

대학생이 되어서도 엄마의 보호를 받고 있다.

"교수님, 우리 애 좋은 직장에 들어갈 수 있도록

성적을 올려 주세요."

아이는 성인이 되어서도

부모를 돕기는커녕

엄마로부터 정서적인 독립을 못한다.

엄마는

취직에 대해서도

결혼에 대해서도

계속 함께 고민하며 아이를 챙긴다.

그리하여

자녀의 곁을 맴돌며

성인이 된 아이까지도 챙겨 주는

'헬리콥터 맘'이 되고 말았다.

헬리콥터 맘 : 헬리콥터처럼 자녀의 곁을 맴돌며 성인이 된 자녀까지도 일일이 챙겨 주는 엄마

그리고 그 아이는

혼자서는 아무것도 할 수 없는

'어른'이 되었다.

몸은 다 컸지만 마음은 자라지 않은 아이와

이제야 후회하는 엄마의 얼굴이 클로즈업되면서

영화는 끝났다.

영화 속 아이가 자립을 하지 못한
이유는 무엇일까?

'상호 의존성은 청소년기의 연장을 더욱 부추긴다.'

★
★★ 상호 의존 : 서로 돕고 의지하는 것

그 이유는
아이는 스스로 해야 할 일들을
항상 엄마에게 의존하고
엄마는 이를 감싸 줬기 때문이다.

만약 내 삶이 영화라면?

두렵고 떨리는 마음으로
한 걸음씩 나아가 도달해야 할 미래는
내가 주체적으로 만들어 가는
'나'의 신세계여야 한다.

★
★★ 주체적 : 어떤 일을 실천하는 데
자유롭고 자주적인 성질이 있는

내 삶의 영화는 이제 막 시작되었다.
나는 해피엔딩을 꿈꾼다.

★
★★ 해피엔딩 : 소설이나 영화, 연극 등에서
이야기의 끝을 행복하게 끝내는 것

내 영화의 해피엔딩을 위해

지금부터 해야 할 일은

부모님으로부터

독립을 준비하는 것.

육체적으로나 감정적으로

내가 할 수 있는 일은

내가 하는 것.

그리고

내 삶을 주체적으로 사는 것.

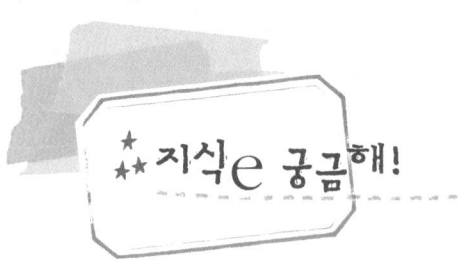

청소년기는 자신의 세계를 찾아가는 시기

청소년기는 몸에 변화가 일어나는 시기예요. 아이의 몸에서 어른의 몸으로 변하는 거지요. 그리고 몸의 변화뿐 아니라 정신적으로도 변화하고 성장하는 시기예요. 특히 정신적인 변화가 시작되는 사춘기에는 자신이 살아왔던 세상과 환경에 '정말일까?', '그래도 될까?' 등의 의문을 품게 돼요. 그리고 이때까지 정신적 · 육체적 · 감정적으로 보살펴 준 부모로부터 독립해 자신의 세계를 만들고 싶어 하지요.

이러한 청소년기에는 누구나 자신의 꿈은 무엇인지, 어떻게 살아가야 하는지 깊이 생각하고 적극적으로 찾아 나가야 해요. 그것은 누가 대신해 줄 수 있는 일이 아니에요. 엄마의 일은 더더욱 아니지요. 그리고 독립은 반항하는 것이 아니라 부모님을 존중하며, 자기 일을 스스로 할 수 있는 힘을 기르는 거예요. 정신적 · 신체적인 독립을 준비하는 거지요. 부모로부터 독립하지 못하는 자녀들을 보면 부모가 자녀의 인생에 너무 관여하는 경우가 대부분인데, 자녀도 부모의 보호 속에 안주하는 경우가 많아요. 청소년기는 자신의 인생을 살기 위해 준비하는 중요한 시기라는 사실을 잊지 마세요.

독립을 가로막는 맘들과 마마보이, 마마걸

헬리콥터 맘(helicopter mom) 아이의 일에 지나치게 관여하는 엄마를 뜻해요. 마치 헬리콥터처럼 아이의 주변을 빙빙 돌며 아이의 모든 것을 관리하지요. 이처럼 지나친 간섭을 하는 헬리콥터 맘 밑에서 자란 아이는 어른이 되어서도 부모로부터 제대로 독립하기 힘들어요.

돼지맘(pig mom) 교육열이 높고 사교육 정보에 밝아 다른 엄마들을 이끄는 엄마를 말해요. 어미 돼지가 새끼들을 데리고 다니는 것을 빗댄 말이에요.

타이거 맘(tiger mom) 자녀를 엄격하게 교육하는 엄마를 말해요. 에이미 추아 미국 예일 대학교 교수가 2011년, 엄격한 자녀 훈육 방식에 대한 책을 펴내면서 사용한 단어예요. 추아 교수는 책을 통해서 자신이 엄격한 방식으로 자녀를 잘 키웠다고 했지요.

마마보이(mama boy), 마마걸(mama girl) 엄마 없이는 아무것도 결정하지 못하고, 아무것도 하지 못하는 아들딸들을 말해요. 어떤 친구를 사귀어야 하는지, 어떤 책을 읽을지, 커서 뭐가 되어야 할지까지 엄마에게 물어보고 엄마의 결정을 따르지요.

영국과 우리나라 어린이의 같은 아침, 다른 모습

텔레비전의 한 다큐멘터리 프로그램에서 우리나라와 영국의 8세 된 어린이의 아침 시간을 보여 준 적이 있어요. 잠자리에서 일어나서 학교에 가기까지의 시간을 말이에요. 먼저 우리나라 어린이는 일어나는 것부터 씻고, 옷 입고, 밥 먹고, 나갈 때까지 거의 엄마가 도와주어야 했어요. 옷은 엄마가 꺼내서 입혀 주고, 준비물도 엄마가 챙겨 주고, 서둘러 나가라는 엄마의 잔소리를 끊임없이 들으며 달려 나갔어요. 그런데 영국 어린이는 자신이 맞춰 놓은 알람 소리를 듣고 일어나 씻는 것도 혼자, 옷을 골라 입는 것도 혼자, 먹을 것도 직접 덜어 먹고 학교에 가는 모습이었어요. 엄마가 하는 말은 "서두르지 않으면 늦겠다." 정도였어요.

물론 두 나라의 어린이 개개인이 모두 방송과 같지는 않을 거예요. 하지만 두 나라의 어린이가 이렇게 서로 다른 문화 속에서 살고 있음을 보여 준 것이지요. 아이가 스스로 할 수 있도록 부모가 격려하고 지켜보는 것도 중요해요.

17 의미있는 삶을 위하여, 〈열심히, 정성을 다해〉

★ 하고 싶은 일, 해야 할 일에 최선을 다하라

어른들은 종종 지난날을 생각하면 후회되는 일이 많다고 한다.
좋아하는 일, 보고 싶은 사람, 가고 싶은 곳 등 젊어서 꿈꾸었던 일을
제대로 못해 보고 어느새 세월이 흘러간 탓이다.
우리는 어떻게 살아야 후회 없는 삶이 될 수 있을지 생각해 보자.

살아 숨 쉬는

모두에게 주어진

숙명,

늘는 것.

숙명 : 사람이 태어날 때부터
정해진 운명

"이제 생각해 보니

난 어렸을 때 가수 되는 것이

꿈이었는데······."

사람들 대부분이

나이 들어 하게 된다는

살아온 날들에 대한

후회.

 지금까지 있었던 일 중 가장 후회되는 일은 무엇인가요?

나이 많은 어른들은
어느 순간,
'어떻게 죽음을 맞이할 것인가?'를 놓고
고민에 빠진다.

그런데
깊이 고민하다 오히려
'남은 삶을 어떻게 살아갈 것인가?'를
생각한다고 한다.

"이제라도 못다 이룬 일을 해 보자."

그렇다면

우리는 오늘을 어떻게 살아야 할까?

우리는
후회하는 어른이 되지 않도록

하고 싶은 일,
해야 할 일,
보고 싶은 사람,
친하게 지내고 싶은 사람 등을
잘 생각해

그 일 하나하나를
최선을 다해서 해야 한다.

그리고
주체적인 삶을 살아가야 한다.

'누군가에게,
상황에 이끌려 다니지 않고

시간을 아껴 쓰며
오늘을 알차게 보내기.

스스로 우뚝 서는 날을 위해
부모님께 의지하기보다
내가 할 일은 스스로 하기.'

그리고
'도움이 필요한 친구에게
손을 내밀 줄 아는
가슴이 따뜻한 사람 되기.'

한번뿐인 소중한 인생을
의미 있게 살아가기 위해
나에게 주어진 모든 것들에
정성을 다해야 한다.

사랑하고, 용서하고,
감사하고, 최선을 다하는

살아가는 모든 순간을
소중히 여기는 삶을.

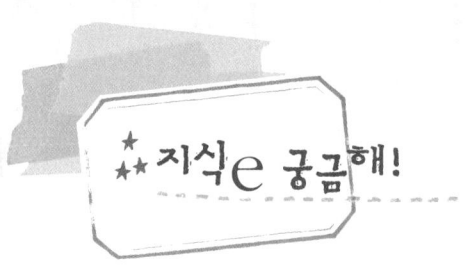

삶의 방향을 찾고 꿈을 이루어 주는 메모

어떻게 살아갈 것인지 삶의 방향을 정하기 위해서는 먼저 현재 어떻게 살고 있고, 또 앞으로 어떻게 살고 싶은지 알아야 해요. 이를 위해 다음 질문들을 하나하나 체크해서 메모해 보세요.

• 나의 꿈은 무엇인가?
• 꿈과 미래를 위해 스스로 어떤 노력을 하고 있는가?
• 내가 소중하게 생각하는 것들은 무엇인가?
• 나는 부모님께 어느 정도 의존적인가?
• 나는 친구들과 얼마나 잘 지내고 있는가?
• 나는 하루하루를 어떻게 보내고 있는가?
• 남들이 나를 어떤 사람으로 생각하기를 원하는가?

노트에 각각의 질문에 대하여 자신의 생각을 자세하게 적어 보세요. 그러면 나는 무엇을 좋아하고, 소중하게 생각하는지 알 수 있어요. 자신의 미래를 좀 더 구체적으로 계획하려면 먼저 자신의 꿈을 찾아야 해요. 요즘 청소년들은 꿈이 무엇이냐고 물으면 잘 모르겠다고 대답하는 경우가 많다고 해요. 꿈이란 한번 정하면 절대 바꿀 수 없는 것이 아니에요. 남 보기에 거창해야만 하는 것도 아니지요. 그리고 꿈이 꼭 하나여야만 되는 것도 아니에요. 하고 싶고, 되고 싶은 소망을 생각해 보고 그것들을 하나하나 이루어 나갈 계획을 세우면 바로 꿈이 되는 거지요. 오랫동안 해내야 할 일, 바로 이룰 수 있는 일, 나를 위한 일, 가족을 위한 일 등으로 나누어 적어 보세요.

〈멈추지 마, 다시 꿈부터 써 봐〉의 저자 김수영은 이러한 소망을 생각해 보는 것만으로 끝내지 않고, 각각의 소망을 언제까지 이룰 것인지, 어떻게 해낼 것인지 구체적으로 계획하고 실천 방법을 찾아 실행에 옮겼대요. 에스파냐 어 배우기, 경제적으로 독립하기, 책 쓰기, 부모님 효도 여행 보내 드리기, 킬리만자로 산 오르기 등 자기 계발은 물론 부모님을 위한 것까지 73가지의 소망을 가지고 있었는데, 그중에 절반 정도를 몇 년 만에 이루었대요. 그녀는 작은 소망들을 하나하나 이루다 보니 커다란 꿈도 이룰 수 있었다고 말했어요. 여러분도 소망을 생각하여 메모하고 열심히 실천하다 보면 꿈을 찾고 이룰 수 있게 될 거예요.

인생을 돌아보며 새로운 계획을 세우다

요즘에는 어느 정도 나이가 들면, 이제까지 살아온 인생을 되돌아보고 앞으로 어떻게 살 것인지를 생각해 보는 죽음 준비 교육을 받기도 해요. 죽음을 진지하게 생각해 봄으로써 현재의 삶을 알차게 만드는 것이 목적이지요. 그 교육에서는 유언장 써 보기, 노후 계획 세우기, 장기 기증자 등록하기, 사랑하는 사람에게 소망 이야기하기 등의 활동을 해요. 이 활동을 통해서 미처 생각하지 못했던 아쉬운 것을 발견하고 이제라도 도전해 보고 싶은 용기를 얻어 새로운 인생을 계획하기도 한대요. 죽음 준비 교육으로 삶을 돌아본 사람들은 삶에 대한 열정이나 만족도가 그렇지 않은 사람보다 훨씬 높다고 해요.

이 교육에서는 무엇보다도 주어진 삶을 의미 있게 사는 것에 대해 생각하게 한대요. 모든 순간을 소중히 여기면 후회나 두려움이 남지 않는다는 생각에서지요. 그리고 삶의 의미를 새롭게 깨닫게 함으로써 현재의 어려움을 이겨 내는 힘을 기르도록 도와주어요. 교육을 받는 사람들은 "그때 그렇게 할걸." 혹은 "그때 그러지 말았어야 했는데."라는 말을 많이 한대요. 이러한 후회를 하지 않도록 교육을 통해 누군가를 좋아한다면 좋아한다고 표현하고, 도전하고 싶은 게 있다면 용기를 내어 도전하고, 어려운 사람을 돕는 일을 하고 싶다면 그 일에 앞장설 수 있도록 용기를 북돋아 주지요.

5분의 메시지로 생각하는 힘을 키우는
〈어린이 지식ⓔ〉 시리즈는
책 한 권의 지식을 넘어, 지혜를 자라게 해 줍니다.